Aux employés
De Via Rail

Que cette
Lecture soit
inspirante.

POUR MIEUX VIVRE AVEC LE STRESS

Infographie : Johanne Lemay

02-11

Dépôt légal : 2009
Bibliothèque et Archives nationales du Québec

ISBN 978-2-7619-2639-3

DISTRIBUTEURS EXCLUSIFS :

Pour le Canada et les États-Unis :
MESSAGERIES ADP*
2315, rue de la Province
Longueuil, Québec J4G 1G4
Téléphone : 450 640-1237
Télécopieur : 450 674-6237
Internet : www.messageries-adp.com
* filiale du Groupe Sogides inc.,
filiale du Groupe Livre Quebecor Media inc.

Pour la France et les autres pays :
INTERFORUM editis
Immeuble Paryseine, 3, Allée de la Seine
94854 Ivry CEDEX
Téléphone : 33 (0) 1 49 59 11 56/91
Télécopieur : 33 (0) 1 49 59 11 33
Service commandes France Métropolitaine
Téléphone : 33 (0) 2 38 32 71 00
Télécopieur : 33 (0) 2 38 32 71 28
Internet : www.interforum.fr
Service commandes Export – DOM-TOM
Télécopieur : 33 (0) 2 38 32 78 86
Internet : www.interforum.fr
Courriel : cdes-export@interforum.fr

Pour la Suisse :
INTERFORUM editis SUISSE
Case postale 69 – CH 1701 Fribourg – Suisse
Téléphone : 41 (0) 26 460 80 60
Télécopieur : 41 (0) 26 460 80 68
Internet : www.interforumsuisse.ch
Courriel : office@interforumsuisse.ch
Distributeur : OLF S.A.
ZI. 3, Corminboeuf
Case postale 1061 – CH 1701 Fribourg – Suisse
Commandes :
Téléphone : 41 (0) 26 467 53 33
Télécopieur : 41 (0) 26 467 54 66
Internet : www.olf.ch
Courriel : information@olf.ch

Pour la Belgique et le Luxembourg :
INTERFORUM BENELUX S.A.
Fond Jean-Pâques, 6
B-1348 Louvain-La-Neuve
Téléphone : 32 (0) 10 42 03 20
Télécopieur : 32 (0) 10 41 20 24
Internet : www.interforum.be
Courriel : info@interforum.be

Gouvernement du Québec – Programme de crédit d'impôt pour l'édition de livres – Gestion SODEC – www.sodec.gouv.qc.ca

L'Éditeur bénéficie du soutien de la Société de développement des entreprises culturelles du Québec pour son programme d'édition.

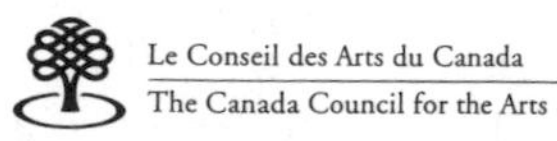

Nous remercions le Conseil des Arts du Canada de l'aide accordée à notre programme de publication.

Nous reconnaissons l'aide financière du gouvernement du Canada par l'entremise du Fonds du livre du Canada pour nos activités d'édition.

Stéphanie
Milot

avec la collaboration
de Corinne De Vailly

POUR MIEUX VIVRE AVEC LE STRESS

Changez votre état d'esprit

Une compagnie de Quebecor Media

Introduction

Au cours des conférences que j'anime, j'ai pris l'habitude de dire: « Si nous voulons obtenir des résultats différents dans notre vie, nous devons agir différemment! » Mais qu'est-ce que cela signifie, concrètement?

Vous arrive-t-il de vous lever le matin et de vous sentir fatigué? Ou de terminer votre journée avec la seule envie d'aller rejoindre votre ami le divan? En êtes-vous rendu au point où vous trouvez normal de vivre avec une petite douleur au cou ou une tension au milieu du dos? Jugez-vous que nous vivons dans une société où règnent le calme et la sérénité, ou la vie vous semble-t-elle aller de plus en plus vite? Vous êtes-vous déjà demandé pourquoi vous courez tout le temps, alors que vous savez très bien que vous arriverez de toute façon à Noël en même temps que tout le monde?

Vous êtes-vous déjà demandé s'il y avait un lien entre le stress que vous vivez et votre résistance aux changements? Entre votre stress et votre façon de voir la vie – votre perception de la vie?

Vous êtes-vous déjà demandé quel rapport existe entre le stress et l'incapacité à dire non? Avez-vous déjà noté qu'un perfectionnisme exagéré entraîne un stress immense? Avez-vous déjà établi la corrélation entre le stress et la tendance à vouloir plaire à tout le monde? Avez-vous déjà remarqué que les éternels négatifs sont des sources de stress pour les autres? Mais peut-être faites-vous partie de cette catégorie de gens...

Avez-vous déjà remarqué que les personnes qui ne connaissent pas leurs limites font plus souvent que les autres un *burn-out* ou une dépression? Et qu'à l'inverse certaines personnes parviennent à travailler moins tout en gagnant plus d'argent? (Non, non! Ceci n'est pas un livre sur l'art de devenir millionnaire, mais vous comprendrez que le temps investi n'est pas toujours le seul facteur de réussite.) Êtes-vous conscient que les statistiques sur le *burn-out* et la dépression sont de plus en plus alarmantes et que les médicaments les plus prescrits aujourd'hui en Amérique du Nord sont ceux qui visent à vaincre le stress ? Oui, nous en sommes là !

Saviez-vous que, selon plusieurs études, être continuellement exposé à de mauvaises nouvelles peut entraîner du stress ? (Dommage pour les journaux et la télévision !)

Vous l'aurez compris, cet ouvrage vous aidera à démythifier toutes ces questions, et il vous permettra aussi de comprendre une fois pour toutes que votre vie peut ne pas être affectée par ce méchant stress. Et que cela dépend uniquement de vous.

Vous devez agir différemment pour obtenir des résultats différents dans votre vie. Cela signifie que les situations qui vous causent du stress ou qui vous irritent ne s'estomperont pas d'elles-mêmes si vous ne faites rien pour les changer. Cela signifie aussi que, si vous avez l'habitude de vous lever le matin en vous disant : « La journée va être longue », il est fort probable qu'elle sera en effet très longue ! Évidemment, si vous ressassez toujours les mêmes idées, vous obtiendrez toujours les mêmes résultats... Vous serez fatigué, stressé.

Alors que faire ? Nous verrons, dans cet ouvrage, que nous avons intérêt à revoir nos façons de penser, nos façons de faire, et que c'est la condition essentielle pour obtenir des résultats différents. Nous serons moins stressés, moins fatigués et plus heureux. Vous trouvez que c'est un peu simple ? Et si cela vous aidait vraiment ? Et si, effectivement, c'était aussi simple ? Pourquoi croyons-nous que la recette doit inévitablement être compliquée pour être efficace ?

Bien sûr, cela peut sembler plus facile à dire qu'à faire. C'est pourquoi vous trouverez dans cet ouvrage une multitude d'outils pour approfondir votre réflexion. Ces outils vous aideront à adopter de nouvelles attitudes et de nouveaux comportements qui vous ouvriront la voie vers une vie à la fois plus agréable et plus satisfaisante.

À la lumière des nombreuses consultations que je donne depuis des années, j'ai constaté que le simple fait de lire un livre de psychologie ou de consulter un spécialiste suffisait rarement à provoquer des changements radicaux chez un individu. Pour adopter de nouveaux comportements et de nouvelles attitudes, il faut expérimenter, passer à la pratique. Une chose est certaine, les changements ne viennent pas sans efforts. Mais lorsque nous commençons à voir des changements, nous nous rendons compte que le jeu en valait vraiment la chandelle.

Comme vous l'avez sûrement constaté à de multiples reprises, nous sommes souvent un meilleur conseiller pour les autres que pour nous-mêmes. Un jour ou l'autre, nous avons tous dit à quelqu'un qui avait besoin de réconfort : « Ton *chum* t'a laissée ? Franchement, sors un peu, change-toi les idées. Tu vas voir, ça va passer. » Ou : « Tu as perdu ton emploi ? Ne t'en fais pas, rien n'arrive pour rien. Quelque chose de mieux t'attend sûrement. »

Toutefois, lorsqu'on est soi-même aux prises avec ce genre de situations, vous en conviendrez, tout semble moins évident. Les solutions nous semblent toujours tellement plus simples quand il s'agit des autres. À la lumière de ce constat, on peut dire que nous avons souvent besoin d'une tierce personne pour nous aider à comprendre ce que nous savions déjà... sans nécessairement l'appliquer.

Prenons quelques exemples. Nous savons tous que la cigarette est nocive, et pourtant, certains fument quand même. Nous savons tous que le *fast-food* fait grimper le mauvais cholestérol, mais si les McDonald's, Burger King et Harvey's de ce monde sont de véritables empires, c'est qu'il doit quand même bien y avoir des gens qui y mangent ! Nous savons tous que le stress est mauvais pour la santé, mais qui d'entre nous a concrètement mis en œuvre des moyens pour diminuer radicalement son stress ? Si certains d'entre vous l'ont fait, je les en félicite, car ils font partie d'une minorité.

Un article du *Journal de Montréal* du 14 juin 2006 avait pour titre « Les Québécois trop stressés ». Êtes-vous surpris d'un tel constat ? Moi pas. Et n'allez pas croire que ce fait n'est observable qu'ici ; c'est un phénomène mondial !

On nous avait pourtant promis que l'informatique allait nous faciliter la vie. On nous avait fait miroiter l'arrivée de la société des loisirs dans les années 2000. La technologie devait changer notre vie pour le mieux. Sincèrement, croyez-vous que c'est ce qui s'est produit ? Je ne le crois pas.

Depuis plusieurs années, le mot *burn-out* est presque à la mode. Les gens qui souffrent d'épuisement professionnel semblent être de plus en plus nombreux, et il n'est pas rare de les voir sortir de chez le médecin avec une ordonnance d'antidépresseurs. « Je ne vais pas bien, je file un mauvais coton… » Et vous ressortez avec la petite pilule miracle qui vous aidera à vous sentir mieux. Mais est-ce bien la solution qu'il vous faut ? (Pour en savoir plus sur le *burn-out*, voir la section « Questions et réponses », en annexe, p. 189.)

Nous ne pouvons faire abstraction de l'influence du stress dans nos vies où tout va de plus en plus vite. Ce que nous mettions une heure à faire autrefois doit absolument être accompli en cinq minutes aujourd'hui. N'avons-nous pas toute la technologie nécessaire pour accélérer les choses ? Malheureusement, cette technologie n'a pas soulagé notre stress, et elle ne nous a pas permis de dégager plus de temps pour nous. Au contraire, elle a apporté elle aussi son lot de stress. Nous sommes donc de plus en plus pressés et stressés.

Nous courons après le temps ! Quel paradoxe ! Il est totalement illusoire de croire que nous pouvons vivre dans un monde sans stress. Un tel monde serait alarmant. Le stress ne fait-il pas partie intégrante de la vie quotidienne ? Par exemple, sur le plan professionnel, ou même personnel, le stress peut être un facteur de développement essentiel et nécessaire. Il peut se révéler être un excellent stimulant, aussi longtemps qu'il est vécu à une intensité modérée. Les problèmes surviennent lorsque nous vivons du stress à intensité très élevée et de façon récurrente.

Les statistiques révèlent que 3400000 travailleurs souffrent actuellement de burn-out *au Canada, et qu'il y en a 800000 au Québec (Statistique Canada, 2004). Pas moins de 1536465 Québécois disent vivre un stress assez intense chaque jour, soit plus d'un Québécois sur quatre, et pour le reste du pays, la moyenne est de 23,2% (enquête sur la santé des collectivités canadiennes, 2005). Aux États-Unis, l'absentéisme entraîne des coûts sociaux de 20 milliards de dollars par année.*

« Stressé ? Vous avez dit stressé ? », Éric-Yvan Lemay, Le Journal de Montréal, *14 juin 2006*

On entend souvent l'expression « Donner un sens à sa vie ». Qu'est-ce que cela peut bien vouloir dire ? Nous découvrirons ensemble qu'il est possible de lutter contre le stress en donnant un sens à notre vie et en définissant ce que nous attendons d'elle. Chacun de nous a le pouvoir de modifier son état émotif et de rendre sa vie meilleure. Nous verrons comment y arriver.

Je ne prétends pas détenir la vérité, mais je pense que les principes exposés dans ce livre vous amèneront à faire des prises de conscience décisives. Mon but est de vous accompagner, comme le ferait un *coach* ou un ami, en vous rappelant quelques principes de base que vous connaissez sûrement déjà, mais que vous avez peut-être oubliés ou négligés en chemin. Vous trouverez aussi dans ce livre de nombreuses techniques, peut-être nouvelles pour vous, qui vous aideront à mieux équilibrer votre vie et à gérer votre stress de façon plus adéquate. Rappelez-vous que vous n'êtes pas obligé de me croire sur parole. Lisez, expérimentez et mettez en pratique. Vous verrez les résultats !

CHAPITRE 1

Le stress : mythes, définition et conséquences

LE SAVIEZ-VOUS ?

Les adultes ne rient en moyenne que trois ou quatre minutes par jour, alors que les enfants, eux, rient jusqu'à 400 fois ! Lorsque nous vivons un stress à une intensité élevée, nous sécrétons en grande quantité des hormones telles que l'adrénaline et la norépinéphrine. Mais lorsque nous rions, que nous avons du plaisir, que nous arrivons à nous détendre, c'est un autre type d'hormones qui entre en jeu : les endorphines. Autrement dit, plus vous avez du plaisir, plus vous riez, plus vous vous éclatez, plus vous sécrétez d'endorphines ; cela contribue à contrebalancer les effets négatifs du stress.

Voici quelques faits qui vous amèneront à comprendre pourquoi il est important pour moi d'écrire un livre sur la façon de gérer son stress efficacement.

QUELQUES MYTHES FORT RÉPANDUS

Le stress est le même pour tous

Faux. Totalement faux. Ce qui est stressant pour vous ne l'est pas forcément pour votre voisin. Prenons l'exemple d'un individu qui doit prononcer une allocution en public. Cette situation est excessivement stressante pour certaines personnes, alors qu'elle ne l'est absolument pas pour quelqu'un qui est habitué de parler en public.

Comme le montre cet exemple, ce n'est pas l'événement en lui-même qui est une cause de stress, mais la façon dont nous l'interprétons. C'est cette interprétation qui amène à l'esprit des idées menant au stress.

Le stress est toujours mauvais

Faux. Tout à fait faux. Au contraire, le stress peut souvent nous aider à nous accomplir. En effet, nous entendons souvent dire: « J'ai vécu un peu de stress, et ça m'a poussé à être performant. Ça m'a aidé à bien réussir ma tâche. »

Prenons l'exemple des examens. À l'approche de l'échéance, certains étudiants sont bien souvent en état de stress. Ce léger stress les pousse à étudier, à faire les efforts nécessaires pour réussir, et ces étudiants obtiennent en général de bonnes notes.

Le stress n'est donc pas toujours mauvais. Ce qui peut l'être, c'est l'intensité du stress ressenti. Si un étudiant est stressé au point qu'il n'en dort pas et n'arrive pas à manger, cela risque évidemment de ne pas très bien se passer le jour de l'examen.

Lorsque nous vivons du stress à une intensité élevée, cela réduit notre capacité à réagir efficacement et à adopter un comportement qui nous aiderait à atteindre des résultats intéressants.

Tout est donc une question d'intensité. Arrêtons de croire que le stress est toujours mauvais. Le stress peut parfois être très utile. À condition de veiller à l'intensité à laquelle il est vécu.

Le stress est partout, donc je n'y peux rien

Faux. Comme je l'ai mentionné plus haut, le stress est une question de perception. Et il est totalement faux de croire que nous ne pouvons rien y faire. Aussi longtemps que nous entretiendrons cette croyance, nous serons pris dans un cercle vicieux.

Prenons l'exemple d'un automobiliste coincé dans un bouchon de circulation pendant deux heures et qui commence à s'énerver. Il sent le stress monter. Plus le temps passe, plus il songe: « C'est l'enfer, ça ne devrait pas être comme ça, c'est une catastrophe. Je vais arriver en retard, etc. » Son anxiété, son niveau de stress, grimpe en flèche.

Voilà un exemple de situation incontournable sur laquelle nous n'avons aucun pouvoir. Lorsque nous sommes coincés dans un bouchon, nous ne pouvons rien changer à la situation. Toutefois, il est possible de modifier notre façon d'interpréter la situation. Par exemple, cet automobiliste pourrait se dire: « Dans le fond, ce n'est pas si grave. Je ne suis pas si mal ici. Je suis confortablement assis dans ma voiture, je peux écouter la radio, écouter des cassettes de relaxation, des cassettes de motivation, bref, je peux faire beaucoup de choses, je peux avoir une multitude d'idées pour diminuer mon stress. Et même si je suis en retard à un rendez-vous important, est-ce que ce sera réellement la fin du monde ? » Il est fort probable que non. Nous sommes d'accord: ce retard n'est pas souhaitable, ce n'est pas ce que nous désirons, mais ce n'est pas la fin du monde.

Nous ne nous en rendons pas toujours compte, mais il y a certaines situations sur lesquelles notre pouvoir d'action est nul. En revanche, notre façon de voir les choses ne dépend que de nous, et nous pouvons la modifier de manière à diminuer le stress que nous ressentons.

Pas de symptômes, pas de stress

Faux. Une absence de symptômes ne signifie pas une absence de stress.

Prendre des médicaments pour réduire les symptômes du stress peut amener le consommateur à masquer les symptômes qui lui auraient donné des pistes pour s'interroger sur ses comportements et l'amener à se demander: « Comment se fait-il que je vive un tel stress à ce moment-ci dans ma vie ? »

Si vous êtes tenté de prendre des médicaments dans le but de diminuer votre stress, demandez-vous si vous vous attaquez au bon symptôme. La question à se poser dès le départ est : « Qu'est-ce qui m'amène à ressentir du stress à ce point-là, à cette intensité-là ? »

Notre corps nous parle, mais nous ne l'écoutons pas, ou alors nous l'écoutons, mais nous lui répondons de la mauvaise façon, c'est-à-dire en lui fournissant des médicaments en guise de solution. Alors que la solution ne réside absolument pas, à mon sens, dans la médication. En tout cas, pas uniquement.

Seuls les symptômes importants du stress méritent notre attention

Faux. C'est un mythe à détruire, dans la mesure où nous attendons souvent d'être au bout du rouleau, épuisés, d'avoir perdu du poids de façon importante, ou de faire de l'insomnie à répétition avant de nous rendre compte qu'il se passe quelque chose.

Trop souvent, nous cherchons à faire taire ces symptômes, alors que nous devrions y prêter davantage attention dès leurs premières manifestations. Il est beaucoup plus facile de changer de mode de vie et de modifier sa façon de voir les choses quand nous nous rendons compte très tôt que quelque chose ne tourne pas rond. Lorsque nous réagissons seulement aux symptômes importants, tels que des crises de panique, des insomnies chroniques ou d'autres symptômes majeurs, il peut parfois être trop tard. N'attendez pas de tomber malade pour réagir !

Une cliente me racontait récemment que, avant de s'arrêter de travailler pendant quatre mois à cause d'un épuisement professionnel, elle avait pleuré tous les soirs pendant un mois avant de se mettre au lit, simplement parce qu'elle était épuisée. Si vous êtes dans cette situation, ne croyez pas que c'est normal.

QU'EST-CE QUE LE STRESS ?

Depuis le début de cet ouvrage, nous parlons du stress, mais qu'est-ce que le stress, au juste ? Il existe plusieurs éléments de définition possibles. Il faut d'abord savoir que le mot latin *stringere* veut dire « rendre raide, serré, pressé ».

Le stress est une demande envoyée par le cerveau à l'organisme pour qu'il s'ajuste et s'adapte. Cette demande peut être positive ou négative. C'est la raison pour laquelle on dit qu'une certaine dose de stress est nécessaire pour nous stimuler, pour nous éveiller.

On dit aussi que le stress est une réaction normale au danger, qu'il soit réel ou non. Voilà un point important à retenir : nous croyons très souvent être en présence d'un danger, alors que ce danger n'existe pas réellement.

Prenons l'exemple d'une personne qui a peur d'une petite araignée. On sait que beaucoup de gens souffrent de cette phobie. Pourtant le danger n'est pas réel, du moins pas au Canada, où il n'y a pas d'araignées dont les morsures sont mortelles. Il n'y a rien de dangereux dans le fait de voir une araignée, même si cette bestiole se trouve sur notre corps. Voilà donc un danger irréel, mais qui suscite quand même de la peur chez certaines personnes.

Mais il y a aussi des dangers qui, eux, sont bien réels. Si vous vous retrouvez face à un ours qui grogne, il est fort probable que vous vivrez un stress intense. Et ce sera tout à fait normal. Dans de tels cas, le stress est bénéfique, car il vous permettra de fuir ou de faire un geste quelconque pour sauver votre vie.

Le stress est une réponse physiologique, psychologique et intellectuelle aux stimuli.

On dit aussi que le stress est une réponse non spécifique du corps à toute demande, qu'elle soit agréable ou non pour lui. Le stress est donc une réponse physiologique, psychologique et intellectuelle aux stimuli.

Dans ce sens, notre environnement, notre entourage, les scénarios que nous pouvons nous faire, les interprétations que nous faisons de la vie et nos craintes entrent en ligne de compte. Nous réagissons souvent sur le plan psychologique à cause du stress, mais ce stress a aussi des conséquences directes sur notre physiologie et peut causer certains maux. Cela peut aller du mal de dos au mal de cou et à la difficulté à digérer.

LA DISTINCTION ENTRE LE STRESS, L'ANXIÉTÉ ET LES PROBLÈMES D'ANXIÉTÉ GÉNÉRALISÉS

Attardons-nous maintenant aux différences qui existent entre le stress, l'anxiété et les problèmes généralisés d'anxiété.

Nous avons vu que le stress est une réponse de l'organisme aux facteurs d'agressions physiologiques et psychologiques, ainsi qu'aux émotions agréables et désagréables qui nécessitent une adaptation. Cette définition est du Dr Hans Selye. « D'origine autrichienne, Hans Selye a été professeur d'histologie à l'Université de Montréal de 1945 jusqu'à sa retraite en 1976. Auteur de la théorie du stress, le Dr Selye a décrit, en 1936, les premiers mécanismes du syndrome de l'adaptation et, en 1945, il a fondé l'Institut de médecine et de chirurgie expérimentale de l'Université de Montréal. C'est à cette époque qu'on a prononcé pour la première fois le mot *stress*[1]. »

L'anxiété correspond plutôt à un état de trouble psychique causé par le sentiment qu'un événement fâcheux ou dangereux est imminent. Elle s'accompagne souvent de phénomènes physiques tels que des palpitations, des sueurs ou des étourdissements[2].

Enfin, selon l'Association des troubles anxieux du Québec, les problèmes d'anxiété généralisés se caractérisent par la présence constante d'inquiétudes difficilement contrôlables dans une situation donnée, dans laquelle le sujet entretient psychologiquement plusieurs scénarios négatifs, devient hypervigilant et très vulnérable aux stresseurs environnementaux. Il s'agit donc d'un trouble anxieux diffus, qui touche tous les domaines de la vie.

Il faut tenir compte de trois aspects pour déterminer si une anxiété est pathologique. Tout d'abord, il faut que l'anxiété apparaisse fréquemment, c'est-à-dire que les symptômes doivent être présents tous les jours pendant trois à quatre semaines. Ensuite, il doit y avoir une souffrance importante ; il n'est évidemment jamais agréable de ressentir de l'anxiété, mais lorsqu'elle est pathologique, la souffrance psychologique est très intense, voire insup-

---

1. http://www.iforum.umontreal.ca/DesNouvellesDe/2005-2006/20060427_Selye.html.
2. Association médicale canadienne, *Encyclopédie médicale de la famille*, *Reader's Digest Canada*, 1993.

portable. Enfin, il doit y avoir entrave au fonctionnement normal de la personne: cela signifie que la personne éprouve des difficultés à effectuer ses tâches quotidiennes habituelles. Lorsque ces trois aspects sont réunis, il y a suffisamment d'indices pour suspecter une anxiété pathologique. Si vous êtes dans ce cas, n'hésitez pas à consulter un professionnel.

Les différents degrés d'anxiété et leurs symptômes

Échelle de l'anxiété	Symptômes
Degré nul : absence d'anxiété	• Sensation de calme, de repos. • Muscles détendus et respiration normale.
Degré très faible : début d'anxiété	• Léger inconfort. • Légère nervosité, inquiétude modérée.
Degré faible : anxiété légère	• Petites rougeurs. • Raideurs de certains muscles. • Mains moites. • Inconfort diffus.
Degré moyen : anxiété modérée	• Serrements d'estomac. • Vue embrouillée. • Muscles contractés. • Voix tremblotante. • Bouche sèche, difficulté à avaler la salive.
Degré élevé : anxiété sévère	• Étourdissements, vertiges. • Nausées. • Diarrhée. • Boule dans la gorge. • Tremblements. • Rythme cardiaque très accéléré. • Peur de perdre le contrôle. • Désir de fuir à tout prix.
Degré très élevé : phase de panique	• Frissons. • Sueurs. • Tremblements. • Difficulté à respirer. • Impression de perdre le contrôle.

→

Les différents degrés d'anxiété et leurs symptômes (suite)

Degré sévère : attaque de panique	• Raideurs musculaires. • Spasmes. • Douleurs abdominales. • Bouche sèche. • Respiration saccadée. • Hyperventilation et impression d'étouffer.
Degré très sévère : crises de panique sévères	• S'attendre au pire. • Incapacité à rester en place ou, au contraire, inertie. • Vomissements. • Sueurs abondantes. • Jambes molles. • Hyperventilation.
Degré extrêmement sévère : crises de panique majeures	• Hyperventilation. • Faiblesses. • Engourdissements. • Jambes molles.
Degré aigu : crises de panique aiguës	• Douleur à la poitrine. • Dépersonnalisation. • Paralysie. • Sentiment d'irréalité. • Certitude de devenir fou ou d'être en train de mourir ou de faire un arrêt cardiaque. • Tous les autres symptômes des autres degrés, mais intensifiés.

LES CONSÉQUENCES DU STRESS

Maintenant que nous avons décrit les symptômes du stress, il est temps d'en examiner les conséquences, par exemple l'apparition de certaines maladies : tensions, allergies, migraines, maladies chroniques, etc.

En effet, nous attrapons plus facilement un rhume ou une grippe, et certains souffrent de migraines, lorsque notre organisme est affaibli. Quand nous sommes en pleine possession de nos moyens, quand nous nous sentons bien, nous sommes beaucoup moins susceptibles d'attraper tous les virus qui passent. Par contre, quand nous vivons du stress, quand nous sommes fatigués de façon anormale, nous sommes beaucoup plus vulnérables à toutes sortes de bactéries.

Il vous est sûrement arrivé d'avoir un rhume dans une période où vous étiez plus fatigué que d'habitude. Et vous avez peut-être cru, à tort, que vous aviez été en contact avec un virus ! Une chose est sûre, virus ou pas, si votre système immunitaire avait été au maximum de ses capacités, les risques d'attraper ce rhume auraient été grandement diminués.

Le stress peut même entraîner des maladies chroniques, telles que les ulcères, le diabète, voire des psychoses. La psychose est « un trouble grave de l'organisation de la personnalité qui se traduit par d'importantes perturbations des relations avec les personnes et par de graves anomalies du contact avec la réalité ».

Certaines personnes peuvent développer des cancers ou faire des crises cardiaques. Vous aurez compris que, lorsqu'on en arrive à ce troisième stade, il est beaucoup trop tard pour réagir. D'où l'importance d'être attentif aux premiers symptômes du stress dès qu'ils se manifestent, ce que malheureusement peu de gens font. Beaucoup continuent au même rythme, sans apporter aucun changement dans leur vie, et c'est alors que surviennent les maladies chroniques. À ce moment-là, il devient presque impossible de faire marche arrière et d'agir, du moins cela devient beaucoup plus difficile. Lorsqu'il s'agit de cancer ou de crise cardiaque, il y a de fortes présomptions laissant croire que les signes précurseurs ont été ignorés.

Les conséquences du stress sur la vie personnelle

Nous avons vu que le stress affaiblit le système immunitaire et qu'il est donc responsable de l'apparition de certaines maladies. Il affecte ainsi votre santé de façon négative. De plus, si vous ressentez du stress, vous êtes susceptible d'éprouver des difficultés à dormir et donc de souffrir d'insomnie. Aussi, vous risquez de voir votre seuil de tolérance s'abaisser pendant que vos impatiences, elles, augmenteront. Vous pouvez ressentir une baisse de libido, de la difficulté à vous concentrer, de même qu'une grande fatigue. De plus, les activités qui vous intéressaient peuvent soudain vous apparaître moins plaisantes. En situation de stress, il se peut aussi que vous dramatisiez les choses et que vous ayez plus de difficultés à les voir dans la bonne perspective. Bien sûr, ces conséquences sont loin d'être souhaitables. Voilà pourquoi il faut agir.

Les conséquences du stress au travail

Il est naturel de parler abondamment des conséquences du stress sur notre vie personnelle, mais il ne faut pas oublier qu'il a aussi des conséquences sur notre vie professionnelle.

Elles sont de deux types. D'une part, il y a les conséquences mesurables telles que les maladies, l'épuisement menant à des retraites anticipées, les accidents de travail, les taux d'absentéisme élevés, les frais médicaux exorbitants pour l'entreprise. Ces conséquences sont mesurables par l'employeur et l'employé.

D'autre part, il y a des conséquences non mesurables comme la baisse de performance, la mauvaise gestion du temps, la difficulté à prendre des décisions, le manque d'organisation, les conflits relationnels au travail, le manque de discernement ou la baisse de créativité.

À ce propos, voici un extrait d'une conférence que je donne en entreprise. Comme vous allez le voir, j'ai pris l'habitude de « brasser la cage » (si vous me permettez l'expression) des gens qui y assistent.

Extrait de conférence

« Honnêtement, je crois qu'on a avantage à se prendre en main si on est malheureux dans notre travail. De toute façon, si vous n'êtes pas heureux au travail... à qui faites-vous le plus de mal ? À vous-même, et à votre entourage ! Quand on hait son emploi, que se passe-t-il, bien souvent ? Le soir arrive, et on commence à ruminer. On se plaint à qui veut bien nous entendre qu'on est "tanné" de travailler et que si la retraite peut arriver, ah ! qu'on va donc en profiter ! Mais vous ne réalisez pas que vous passez à côté du meilleur de votre vie ! Si vous êtes "tanné", partez ! Planifiez votre départ... Je comprends que vous ne direz pas : "J'ai lu le livre de Stéphanie, et je lâche mon boulot demain... Bye-bye, boss !" Un départ, ça se planifie, ça se "budgétise".

« De toute façon, si vous êtes malheureux dans votre travail, vous vous rendrez service à vous-même en partant, mais vous rendrez aussi service à votre employeur. Qui veut de quelqu'un qui n'est pas motivé, qui n'a plus la flamme, qui vient travailler à reculons ? Personne. Ça ne pourra pas être pire ailleurs ! »

Notes

Que retenez-vous de la lecture de ce chapitre ? Quelles sont les prises de conscience qui vous inciteront à agir différemment ? Que ferez-vous à l'avenir ?

CHAPITRE 2

L'origine du stress

Voici maintenant venu le moment de s'interroger sur l'origine du stress. Comme nous l'avons vu dans le chapitre précédent, le stress est présent dans nos vies et, à certains égards, il peut être bon, dans la mesure où il nous incite à la performance ou stimule notre enthousiasme pour la réalisation d'un projet. Toutefois, dans bien des cas, nous avons affaire à un stress négatif qui nous prend toute notre énergie.

DES EXEMPLES D'AGENTS STRESSANTS

Il faut savoir que nous réagissons d'abord à des agents stressants. On définit un agent stressant comme quelque chose pouvant être de nature physique (par exemple, le froid ou la chaleur), chimique (par exemple, un poison ou de la drogue), physiologique (par exemple, une hémorragie ou des changements hormonaux) ou psychique (par exemple, une émotion agréable ou désagréable).

La frustration

La frustration est une émotion que nous ressentons lorsque nous n'atteignons pas un objectif visé ou n'obtenons pas un objet convoité. Nous avons tous intérêt à accroître notre tolérance à la frustration. Nous ne pouvons pas toujours avoir tout ce que nous désirons, au moment précis où nous le voulons. Ainsi va la vie.

Le conflit

Le conflit est un autre agent stressant. À un moment ou un autre de notre vie, nous sommes tous confrontés à des conflits, que ce soit sur le plan personnel ou sur le plan professionnel.

L'histoire de Marie

Marie était en conflit avec Chantal, une de ses collègues de travail. Plus le conflit s'installait, plus l'anxiété s'emparait d'elle. Sa collègue ne lui adressait plus la parole, à la suite d'une réponse un peu brutale qu'elle lui avait faite et, depuis ce jour, leur relation était très tendue. Lorsqu'elle était obligée de lui passer des documents, elle affichait un air de frustration. Plus les jours s'écoulaient, plus Marie ressentait un stress dont l'intensité s'élevait. Elle avait beaucoup de difficulté avec les gens qui ne l'appréciaient pas. Ainsi, ce conflit venait exacerber le sentiment de rejet que Marie ressentait et avait justement du mal à accepter.

Comme le montre cet exemple, les conflits font partie intégrante de notre vie quotidienne. Ils peuvent être de plus ou moins grande importance, mais personne ne peut se vanter de ne pas en avoir connu. Évidemment, un désaccord avec votre conjoint sur un sujet ou un autre ne dégénérera pas forcément en anxiété ou en frustration, et ne s'accompagnera pas nécessairement d'un stress d'intensité très élevée. Cependant, les conflits majeurs entre conjoints, par exemple au sujet de l'éducation des enfants, peuvent être une grande source de stress. Mais rappelez-vous que tout est une question d'interprétation. Si vous faites partie de ces gens qui veulent à tout prix éviter les conflits, qui croient que les autres ne sont là que pour vous rendre la vie impossible, dites-vous bien que vous contribuez, vous aussi, à augmenter votre niveau de stress.

Il est important de se rendre compte que ce qui entre dans notre esprit influe énormément sur notre bien-être. Les résultats d'une recherche sur l'influence des images que l'on a sur le corps humain ont démontré que ce que nous voyons a des conséquences directes sur notre système immunitaire. Ainsi, des chercheurs ont découvert que le système immunitaire de membres d'un groupe témoin ayant regardé un film comportant des scènes de violence en avait été grandement affecté pendant plusieurs jours.

Il est également important de prendre conscience que nos relations ont un effet sur nos états d'âme. Pensez à vos relations. Y a-t-il dans votre vie des personnes qui vous font éprouver de la colère ou d'autres émotions désagréables ? Ces sentiments peuvent affaiblir votre système immunitaire. À l'inverse, si des personnes vous font sentir que vous êtes aimé, cela renforce votre système immunitaire.

Quelle conclusion peut-on tirer de ces constats ? Nous pouvons nous demander si les personnes de notre entourage nous traitent d'une manière qui suscite des sentiments d'amour, de colère ou de stress. En sachant que ce que nous voyons, entendons et sentons influe sur notre santé, nous devenons plus conscients des soins à apporter à notre esprit. Imaginez ce qui se passe quand vous lisez une histoire de violence dans le journal ou quand on vous raconte des événements tragiques, chaque soir, au bulletin de nouvelles. Non seulement votre corps reçoit une influence négative, mais je suis certaine que vous en ressentez aussi des effets émotifs et physiologiques.

À la lumière de cette réflexion, je pense que nous avons tous intérêt à nous poser des questions sur les relations que nous entretenons et qui peuvent nous être néfastes. Si vous côtoyez des personnes qui sont continuellement négatives, qui ont toujours tendance à voir le mauvais côté des choses, qui jouent à la victime, qui ne se sentent pas responsables de ce qui leur arrive dans la vie, qui ont tendance à constamment ressasser des idées pessimistes, vous pouvez décider de prendre un peu de distance dans vos rapports avec elles. Vous pouvez aussi tenter de leur faire voir la vie autrement, bien que ces personnes soient malheureusement souvent très fermées à l'idée de changer. Mais vous ne perdez rien à essayer, vous serez peut-être agréablement surpris de leur ouverture d'esprit.

Les croyances irrationnelles

Parmi les agents stressants figurent également les croyances irrationnelles par lesquelles nous alimentons inutilement notre stress. Nous y reviendrons dans le chapitre qui traite des idées irréalistes à la base du stress. (Voir la section sur les croyances irrationnelles, chap. 7, p. 103.)

Les changements de vie

Les changements de vie constituent aussi des facteurs de stress. On regroupe sous cette appellation des événements tels que les déménagements, les changements d'emploi, la naissance d'un enfant ou la perte d'un être cher. Ces changements peuvent tous être des causes de stress. (Voir la section sur le changement, chap. 12, p. 149.)

L'histoire d'Andrée

Une amie, Andrée, me confiait récemment la façon dont elle envisage la mort. Puisque nous allons tous mourir un jour et que cette étape fait partie de la vie, elle se dit qu'il n'y a pas de raisons d'appréhender la mort, pas plus la sienne que celle des gens de son entourage. Cette façon de voir les choses est excessivement positive pour Andrée, car les deuils qu'elle doit vivre, même s'ils lui causent de la peine, sont pour elle des étapes naturelles à franchir. Ainsi, le degré de stress qu'elle vit au moment de ces événements n'est pas d'une intensité élevée. Sa perception de la mort l'amène à penser que, puisqu'elle est inévitable et naturelle, il n'y a rien là de catastrophique et de non souhaitable. Ce qui fait toute la différence pour elle.

Le cas d'Andrée constitue un exemple de croyances qui peuvent être apaisantes. Sa perception est donc aidante. En revanche, si la mort est perçue comme un événement atroce, distillant la peur, notamment de l'inconnu, cela ne peut être que source de stress.

Si nous y pensons réellement, pourquoi appréhenderait-on la mort ? Tout le monde meurt un jour. Personne n'est revenu de l'au-delà pour nous dire que c'était atroce. Au contraire... Certains prétendent être revenus d'un endroit merveilleux après avoir frôlé la mort ! Je n'ai pas l'intention de débattre ici de la question de « la vie après la mort », car ce n'est pas mon propos, mais pourquoi avoir peur de quelque chose d'inévitable ? Fort probablement en raison de l'inconnu. Mais le jour où nous acceptons le fait que la mort fait partie de la vie, nous diminuons notre anxiété face à cet événement inéluctable.

La douleur

Parlons maintenant de la douleur, qui est un agent stressant très courant. La peur de souffrir, avant une opération, par exemple, peut causer beaucoup d'anxiété. Nous pouvons appréhender de nous casser un membre en faisant du sport, de souffrir si nous apprenons que nous sommes atteints de telle ou telle maladie, etc. Pensons tout simplement à tous ceux qui sont stressés à l'idée d'aller chez le dentiste !

Les tracas de la vie

Les tracas de la vie et les tâches quotidiennes sont d'autres agents de stress courants. Nous nous inquiétons pour notre santé, pour les horaires à respecter. Nous savons très bien qu'avoir un horaire chargé, chronométré, est monnaie courante de nos jours. À 17 h, il faut aller prendre les enfants à la garderie, sinon gare à la pénalité de 10 $! Notre situation financière peut, elle aussi, être une source de tracas, tout comme notre travail.

Les traits de caractère

Comme nous le verrons dans le chapitre 6, les traits de caractère peuvent aussi être des facteurs de stress, surtout ceux des personnalités de type A, dont nous préciserons les comportements plus loin. (Voir la section sur les types de personnalités, chap. 6, p. 94.)

N'oublions jamais que, bien qu'il y ait de nombreux agents stressants, il est important de comprendre qu'ils sont là pour rester et que nous avons donc intérêt à trouver des moyens concrets pour leur faire face. Nous verrons plus loin qu'il existe des outils pour nous y aider.

Bref, les agents stressants ne manquent pas dans notre vie quotidienne.

Exercice de réflexion 1 : D'où vient le stress ?

Selon vous, un événement peut-il causer une émotion ? Lorsque je pose cette question, au cours des ateliers que j'anime, 99 % des gens me disent habituellement que, oui, les événements et les situations qu'ils vivent, ainsi que les personnes qui les entourent, ont le pouvoir de leur causer des émotions. Par exemple, mon conjoint peut me mettre en colère par ses comportements, une tempête de neige peut me faire vivre du stress parce que la circulation sera plus dense cette journée-là.

Revivez en pensée un événement stressant que vous avez vécu récemment.

____
____
____
____
____
____
____
____
____
____
____

- Quelqu'un d'autre pourrait-il réagir différemment à ce même événement stressant ?
- Un même événement peut-il donc causer des émotions différentes ?

Évidemment, la réponse à ces deux questions est oui.

L'importance de la perception

L'exercice précédent nous permet d'approfondir la réflexion sur l'origine du stress. Il repose sur un concept qui a été abordé à plusieurs reprises plus tôt dans ce livre: il s'agit de la perception.

Les agents stressants décrits précédemment nous donnent des occasions de ressentir du stress, en ce sens qu'ils nous donnent la possibilité d'avoir une certaine perception et certaines idées qui s'y rapportent. Ce qui est intéressant de noter, c'est que, pour un même agent stressant, deux personnes ne ressentiront pas nécessairement le même stress. Ainsi, il n'est pas approprié de dire que nous sommes stressés à cause de notre travail ou de nos enfants. Cela nous porte donc à croire qu'il y a autre chose en cause que l'agent stressant.

Pensons, par exemple, à la douleur. Une personne peut ressentir énormément de stress à l'idée de se rendre chez le dentiste pour se faire extraire une dent, alors qu'une autre personne réussira à demeurer calme, et à avoir un niveau de stress relativement bas, même si ce n'est pas à ses yeux l'activité la plus palpitante qui soit.

Quelle est donc la différence entre ces deux personnes ? Qu'est-ce qui explique qu'elles ne ressentent pas du tout le même niveau de stress face au même agent stressant: la douleur ? Ce n'est pas seulement l'agent stressant qui est responsable du stress ressenti. Si cela avait été le cas, ces deux personnes auraient eu le même niveau de stress. Qu'est-ce qui les distingue, alors ? Vous voyez peut-être déjà où je veux en venir…

Eh bien, oui, il s'agit de la perception. Ces deux personnes ont une interprétation différente du même agent stressant qu'est la douleur associée à une visite chez le dentiste. La première, qui vit beaucoup de stress, perçoit probablement sa visite chez le dentiste comme quelque chose d'épouvantable et d'effrayant. Elle a peut-être même l'impression qu'elle ne passera pas à travers. Évidemment, de telles idées contribuent à augmenter l'intensité du stress qu'elle ressent. La seconde personne a une perception différente et plus réaliste: une visite chez le dentiste n'est pas ce qu'il y a de plus agréable, mais cela est supportable. Elle se dit probablement que tout ira bien et que, après, ce sera fini.

Notez qu'il est possible de faire cet exercice de perception avec tout type d'agent stressant; qu'il s'agisse de frustrations, de

ements, de tracas, c'est votre perception qui in-
ntensité de votre niveau de stress.

cette démonstration, nous comprenons facilement ressants ne sont que des occasions de ressentir du ut pour l'événement que vous avez cité dans l'exer- n 1. En fait, tout dépend de la perception que nous avons et des idées que nous entretenons à propos des agents stressants. Il n'est pas toujours possible de les éliminer, mais vous demeurez maître de la perception que vous choisissez d'adopter devant un agent stressant. Assurez-vous donc d'adopter une perception réaliste qui vous permettra de mobiliser vos ressources et ainsi d'agir plus efficacement.

Vous trouverez une illustration de ces explications à la page suivante. Le cercle à gauche représente les occasions concernées (événements, personnes, situations), dans ce cas-ci, les agents stressants. Dans le nuage, ce sont les idées que nous entretenons à propos de ces agents stressants et qui causent le stress et les émotions (représentées ici par le visage). Enfin, à droite, dans le triangle, l'influence de ces émotions (le stress) qui affectent le comportement.

L'histoire de Nicole et de Jacques

Il s'agit ici de l'histoire d'un couple. Nicole vivait énormément d'anxiété, beaucoup de stress face à l'idée de manquer d'argent. Elle disait : « Tous les mois, on est très serrés. On doit faire un budget et s'y tenir, sinon on n'arrivera pas à rembourser l'hypothèque. À l'épicerie, on doit se limiter au strict nécessaire, sinon on va manquer d'argent à la fin du mois. » Dans l'esprit de Nicole, cette situation prenait des proportions dramatiques. Pour elle, manquer d'argent serait l'enfer, une véritable catastrophe.

Au contraire, Jacques était calme : « Moi, ça ne me dérange absolument pas. Depuis cinq ans, on est dans la même situation et, à la fin du mois, on arrive toujours. Oui, c'est serré, mais on est toujours arrivés à subvenir à nos besoins. Nos paiements n'ont jamais été en retard. On a dû se priver à l'occasion. Au lieu d'acheter du filet mignon, eh bien, parfois on achète des contrefilets... Mais, dans l'ensemble, on est toujours arrivés à payer nos factures, à faire face à nos frais, et ce n'est vraiment pas quelque chose qui me stresse. Cependant, c'est difficile pour moi de voir Nicole se faire constamment du souci à propos d'une situation qui, à mon avis, n'est pas si grave. »

Des idées aux émotions[3]

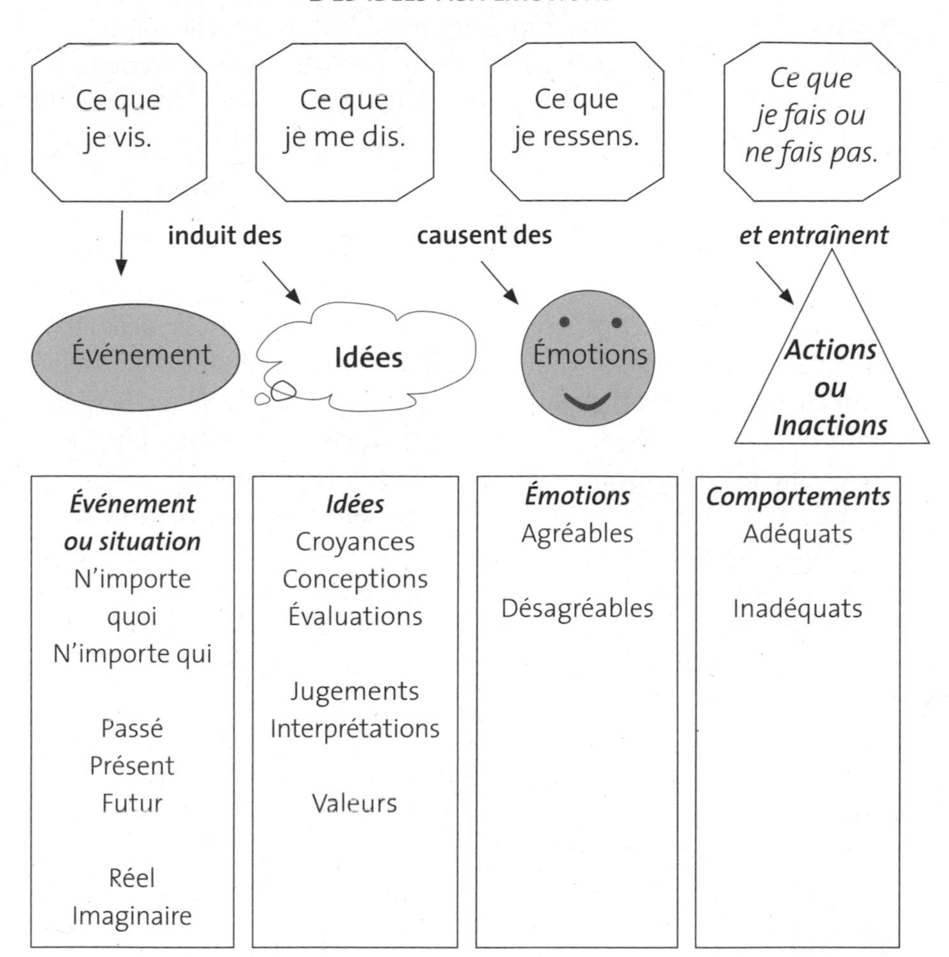

Ces deux personnes, qui forment un couple, sont confrontées au même contexte, et chacune d'elles ressent des émotions différentes. Nicole éprouve une anxiété d'une intensité très élevée, tandis que Jacques ne vit absolument pas d'anxiété, mais plutôt de l'acceptation. Il s'accommode de leur situation financière, qui est bien sûr quelque peu précaire, et cela ne le perturbe absolument pas. À votre avis, est-ce la situation qui cause du stress à Nicole ou plutôt sa façon d'envisager les choses ?

3. Illustration inspirée d'un document du CFPPERQ et de l'approche émotivo-rationnelle. Voir Stéphanie Milot, *Émotion, quand tu nous tiens !*, Montréal, Éditions de l'Homme, 2009.

Changer notre perception n'est pas facile. Ce n'est pas aisé, pour Nicole, d'envisager sa situation autrement. Pourtant, elle aurait tout intérêt à le faire pour réduire son degré de stress. Elle entretient des idées qui font augmenter son stress. Ainsi, elle diminue son pouvoir de réagir s'il devait survenir un réel manque d'argent.

Plus le stress est élevé, plus notre capacité à bien réagir à une situation diminue.

Pour résoudre son problème, Nicole a dû modifier ses idées et ses croyances, en se posant des questions comme celles-ci: « Si réellement ça arrivait, si réellement le mois prochain je manquais d'argent, serait-ce la fin du monde ? Serait-ce réellement une catastrophe ? Est-il vrai que je serais incapable de faire face à la situation ? »

Ces questions ont permis à Nicole de voir sa situation dans une autre perspective. L'objectif était de lui faire voir la réalité sous un autre jour, de lui faire prendre conscience que les risques n'étaient pas si grands. Depuis cinq ans, ce n'était jamais arrivé. Le couple n'avait jamais manqué d'argent à la fin d'un mois. Et même si cela arrivait, elle pourrait y survivre.

Vous serez d'accord avec moi: notre perception des contextes est souvent exagérée. Nous voyons des catastrophes là où il n'y a qu'une simple difficulté. Nous aurions intérêt à dédramatiser les situations et à nous poser les bonnes questions: « Est-ce vrai que je serais incapable de faire face à la situation ? Est-ce que c'est vrai que ce serait la fin du monde ? » Et la réponse sera souvent non. La situation ne sera pas agréable, elle n'est pas souhaitable, mais, non, ce ne serait sûrement pas la fin du monde.

Voilà un autre exemple qui démontre que ce ne sont pas les événements qui sont responsables de nos émotions, mais nos idées, notre façon de les percevoir.

QUELLE EST LA RÉACTION DE L'ORGANISME AUX AGENTS STRESSANTS ?

En 1976, Hans Selye a déterminé ce qu'on appelle le syndrome général d'adaptation. Selon lui, notre corps réagit en trois étapes: la phase d'alarme, la phase de résistance et la phase d'épuisement.

Le syndrome général d'adaptation (SGA, Hans Selye, 1976)
Les trois phases

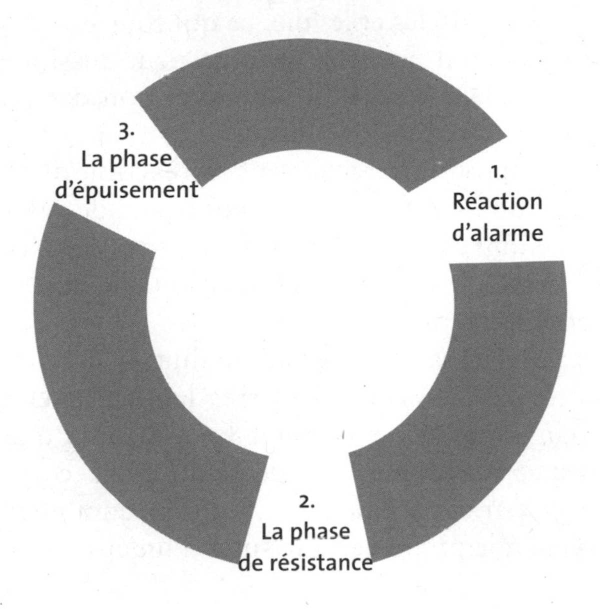

Phase 1 : L'alerte

Au cours de cette première phase, on assiste à une mobilisation de l'organisme. La phase d'alerte est déclenchée dès qu'il y a perception d'un agent stressant. J'insiste encore une fois sur le mot *perception*. Nous pouvons en effet croire qu'un événement grave va survenir, que ce soit réel ou non. L'organisme se met alors en mode d'alerte. Par exemple, quelqu'un peut croire qu'il va perdre son emploi, que cela soit fondé ou non. Cette personne va se mettre en réaction d'alerte et mobiliser son organisme pour se préparer à la défense. Des réactions physiques déclenchées par le cerveau et commandées par le système endocrinien seront perceptibles. Elle ressentira cette libération d'hormones – l'adrénaline, la norépinéphrine et la cortisone – qu'on appelle les hormones de stress.

À cette première phase, le système nerveux sympathique est également activé. Le système nerveux sympathique est une branche du système nerveux autonome qui est sollicitée lorsque des réactions entraînent une dépense d'énergie, comme c'est le cas au moment de situations de stress. Ainsi, devant un danger potentiel ou réel, le corps se met en réaction d'alerte.

Plusieurs changements corporels sont perceptibles. On peut constater une augmentation du rythme cardiaque, une libération de glucose par les muscles et le foie, ce qui fournira de l'énergie à l'organisme pour qu'il puisse réagir. On peut aussi assister à un ralentissement de la digestion, à une dilatation des pupilles et à une accélération du rythme respiratoire.

Tous ces symptômes caractérisent la réaction d'alerte, que le danger soit réel ou non. Si nous sommes persuadés qu'il existe un danger, qu'un ennui est imminent, notre système réagit et se mobilise aussitôt, ce qui provoque une libération d'énergie qui permet au corps d'être prêt à agir.

Il faut également savoir que l'adrénaline et la norépinéphrine sont des hormones qui s'éliminent très lentement et qui restent longtemps dans le système sanguin. Cela signifie que, même si l'agent stressant est éliminé rapidement, notre corps continue d'être influencé par ces hormones. C'est pourquoi nous subissons une baisse d'énergie prolongée à la suite d'un épisode stressant.

Phase 2 : La résistance

La réaction d'alerte a mobilisé l'organisme, mais l'agent stressant n'a pas disparu pour autant. Par la voie du système endocrinien, l'organisme continue donc à libérer dans le sang les hormones de stress. Durant la phase de résistance, la quantité d'hormones de stress sécrétée n'est pas aussi importante qu'au cours de la phase d'alerte, mais elle demeure plus élevée qu'en situation de repos. Ces hormones, toujours présentes dans le sang, déclenchent une réaction à plus long terme pour permettre à l'organisme de poursuivre son combat contre l'agent stressant. Au cours de cette phase, le corps tente tout de même de rétablir son niveau d'énergie.

Phase 3 : L'épuisement

L'organisme entre dans cette étape lorsque la phase de résistance n'a pas permis de vaincre l'agent stressant, c'est-à-dire lorsqu'il a été mal géré. Durant la phase de résistance, nous nous dotons de moyens pour combattre l'agent stressant, par exemple en faisant des efforts pour modifier notre perception de la situation. Certaines personnes arriveront à rationaliser les événements appréhendés et à se reprendre en main. Elles mettront ainsi fin à l'épisode de stress. Mais pour d'autres personnes, c'est la phase d'épuisement qui s'amorcera subtilement, jusqu'au moment où elles ne pourront plus rien supporter, parce qu'elles seront complètement épuisées. Certains symptômes peuvent apparaître au cours de cette phase, notamment les suivants :

- essoufflement, étourdissements et palpitations fréquentes ;
- perturbations du sommeil (réveils fréquents pendant la nuit ou très tôt le matin) ;
- changements dans l'appétit, perte ou gain de poids inexpliqués ;
- attitude pessimiste et difficultés à faire face aux événements.

Nous verrons dans le tableau de la page 39 plusieurs autres symptômes liés au stress.

L'individu qui craint de perdre son emploi au cours de la phase d'alerte peut être capable, durant la phase de résistance, d'alimenter d'autres genres d'idées en se disant que, même si cela arrivait, ce ne serait pas aussi grave qu'il se l'imagine. Mais s'il se rend jusqu'à la phase d'épuisement, c'est qu'il a continué d'entretenir des idées irréalistes. Dès lors, il se sentira affaibli, anéanti par la fatigue. S'il ne gère pas efficacement la persistance de l'agent stressant, il constatera l'apparition de l'épuisement et, souvent, de maladies chroniques.

Évidemment, la capacité individuelle à résister au stress varie selon les personnes. Certains toléreront davantage de stress avant de passer d'une phase à l'autre. C'est pourquoi il est primordial d'apprendre à bien se connaître et d'être en mesure d'identifier nos indicateurs personnels, c'est-à-dire les signes avant-coureurs du stress. Nous les verrons à la fin du présent chapitre.

Mais quel que soit notre seuil de tolérance, quand le stress persiste, il s'ensuit assurément un épuisement pouvant aller jusqu'à affecter l'organisme. Cette altération peut se traduire par l'apparition de maladies chroniques telles que le cancer, les problèmes cardiaques ou les problèmes de santé mentale.

Mais quel que soit notre seuil de tolérance, quand le stress persiste, il s'ensuivra assurément un épuisement pouvant aller jusqu'à la détérioration de l'organisme.

L'histoire de Charles

Charles avait l'habitude de s'en faire pour un oui ou pour un non. Depuis sa toute première relation amoureuse, il avait toujours appréhendé une séparation. Depuis peu, Charles a rencontré Diane, pour qui il a des sentiments très forts et avec qui il a envie de bâtir une relation à long terme. Bien que cet amour semble réciproque, Charles appréhende toujours le départ de Diane.

Lorsqu'il est venu me consulter, il était épuisé par les idées qu'il entretenait continuellement. Des pensées telles que : « Si elle me quitte, ce sera la fin du monde » ou « Je ne passerai pas au travers ». Bref, Charles était au bout du rouleau et voulait trouver une solution à ce malaise constamment présent dans sa vie quotidienne.

Vous aurez compris que le simple fait de ressasser des idées irréalistes et négatives contribue à mettre notre système dans un état d'épuisement ou, pire encore, à nous rendre malades. Comme nous l'avons déjà vu, lorsque nous ressentons continuellement des émotions négatives à des intensités élevées, notre système immunitaire en est affecté.

LES SIGNES AVANT-COUREURS DU STRESS

Pour mieux déceler les signes avant-coureurs du stress, on peut les diviser en quatre grandes catégories.

Bien entendu, il peut s'agir d'un diagnostic de stress élevé, de *burn-out* ou encore de dépression, même si tous ces symptômes ne sont pas réunis. Toutefois, si vous en ressentez plusieurs, et de plus en plus fréquemment, il est grand temps de vous poser des questions. Vous avez tout intérêt à être à l'écoute de ces symptômes pour éviter de passer par la phase 2 (résistance) et éventuellement de plonger jusqu'à la phase 3 (épuisement). De plus, il est avantageux pour vous de déterminer quels sont les symptômes que vous ressentez davantage et à quel moment. À l'aide du carnet de bord de la page 41, faites une liste de ceux qui vous affectent, pour être en mesure de les reconnaître, d'y être attentif et ainsi de vous réajuster.

Symptômes physiques	Symptômes émotionnels	Symptômes psychologiques	Symptômes comportementaux
• Migraines de plus en plus fréquentes et intenses. • Palpitations et douleurs à la poitrine. Troubles digestifs ; maux d'estomac ou ulcères. • Tensions à la nuque, aux épaules ou dans le dos. • Problèmes dermiques : peau sèche, boutons, rougeurs.	• Irritabilité ; état dépressif ; morosité. • Perte de confiance et du respect de soi-même. • Sentiment d'épuisement. • Sentiment d'aliénation. • Manque d'enthousiasme.	• Manque de concentration. • Difficulté à prendre des décisions. • Troubles de la mémoire. • Manque de discernement. • Idées noires. • Mauvaise image de soi ou de la situation.	• Troubles du sommeil. • Insomnie ou besoin accru de sommeil. • Consommation accrue de tabac ou d'alcool. • Baisse du désir sexuel. • Repli sur soi et rejet de l'autre. • Refus de la compagnie d'amis, de membres de la famille ou de collègues. • Difficultés à se détendre et à rester tranquille. • Beaucoup d'agitation.

Outil d'intégration 1 : liste des situations stressantes

Afin de déceler les moments où vous éprouvez du stress, je vous propose un modèle de carnet de bord dans lequel vous noterez vos activités de chaque journée et comment vous vous sentez pendant leur déroulement.

Notez chaque symptôme de stress lorsqu'il se présente, ainsi que ce qui l'a précédé, autant que possible. À la fin de la semaine, comptabilisez les moments où vous avez été stressé et ceux où vous avez été détendu. Prenez les décisions appropriées afin de modifier certains aspects stressants de votre vie.

Après avoir fait cet exercice, vous constaterez peut-être que votre stress apparaît souvent au même moment de la journée et dans des situations similaires. Il sera dès lors plus facile de trouver des moyens concrets pour y remédier.

Exemple

Vous constatez peut-être que tous les matins, avant de partir travailler, vous êtes en état de stress à cause de la multitude de tâches qui vous attendent, par exemple préparer les enfants pour l'école, faire les lunchs, vous préparer vous-même, etc. Dès lors, si vous voyez que la même histoire se reproduit chaque matin, ne serait-il pas utile de revoir votre organisation matinale ? N'y aurait-il pas lieu de préparer les lunchs la veille ou encore de confier certaines tâches à vos enfants ?

L'idée, ici, n'est pas de vous donner des solutions techniques, mais simplement de vous faire comprendre qu'il en va parfois de votre intérêt de revoir certaines de vos pratiques qui alimentent votre stress.

L'exercice suivant, à la page 42, vous permettra d'aller un peu plus loin dans la démarche et d'élaborer des moyens afin de diminuer votre stress.

Carnet de bord

	Lundi	Mardi	Mercredi	Jeudi	Vendredi	Samedi	Dimanche
Petit déjeuner							
Matinée							
Dîner							
Après-midi							
Souper							
Soirée							
Coucher							

Outil d'intégration 2 : Identification des différentes sources de stress

Déterminez ce qui vous cause du stress et votre façon de le gérer, puis précisez les qualités utiles à vos progrès.

Situation	
Personnes concernées	
Comment ai-je réagi ?	
Comment me suis-je senti ?	
Comment m'améliorer ?	

Causes de stress

À la maison (famille, conjoint)

____

____

____

____

Au travail

____

____

____

____

En moi-même

____

____

____

____

Mes symptômes de stress (reportez-vous à la liste des signes avant-coureurs présentée précédemment)

Physiques

____

____

____

____

Psychologiques

____

____

____

____

Autres

____

____

____

____

Outil d'intégration 3 : Identification de stratégies efficaces face au stress

Dans cet exercice, nous nous pencherons sur les stratégies à mettre en place pour diminuer le stress. La seule façon d'arriver à des changements est d'adopter des stratégies différentes de celles que vous avez utilisées jusqu'à présent. N'oubliez pas qu'il est complètement illusoire de croire qu'on peut obtenir un résultat différent en continuant d'agir de la même façon.

En d'autres mots, ne pensez pas que votre stress va diminuer si vous persistez avec les mêmes comportements. Le changement amène le changement. (Voir la section sur le changement, chap. 12, p. 149.)

Mon comportement actuel face au stress

____

____

____

____

Mes nouvelles stratégies face au stress

____

____

____

____

Notes

Que retenez-vous de la lecture de ce chapitre ? Quelles sont les prises de conscience qui vous inciteront à agir différemment ? Que ferez-vous à l'avenir ?

____

____

____

____

____

____

____

____

____

____

____

CHAPITRE 3

Chacun interprète le stress à sa façon

Chacun d'entre nous a une perception personnelle des divers événements qui ponctuent la vie. Chacun d'entre nous vivra donc des épisodes de stress dont l'intensité sera différente, selon l'interprétation qu'il se fait de ces événements.

L'histoire de Nathalie

En consultation, Nathalie dit avoir constamment peur de perdre son emploi. Depuis 10 ans, elle travaille dans une commission scolaire où elle occupe un poste stable et un emploi permanent, mais elle n'en est pas moins continuellement tourmentée par la hantise de perdre son travail. Pourquoi Nathalie entretient-elle des idées qui la conduisent à vivre tant de stress ?

Par ailleurs, elle trouve difficile de constater que certains de ses collègues ne s'en ressentent absolument pas. Quand on lui pose la question : « Quel est le risque, selon toi, de perdre ton emploi ? », elle en arrive à la conclusion qu'il est en effet très faible. Malgré tout, elle ne parvient pas à se raisonner et entretient des idées complètement irréalistes quant à la perte éventuelle de son emploi : « Oh ! mon Dieu, s'il fallait que je perde mon emploi, ce serait une véritable catastrophe... »

Évidemment, il est tentant de penser que tout le monde peut se dire cela et qu'il est normal d'alimenter ce genre d'idées lorsqu'on pense que toute personne pourrait perdre son emploi. Maintenant, lorsqu'on se dit que ce serait une catastrophe, que ce serait l'enfer, on doit se demander: « Est-ce réellement cela l'enfer, est-ce réellement cela, une catastrophe ? » Je ne le crois pas ! Je ne vous dis pas qu'il est souhaitable de perdre son emploi, je dis simplement que ce n'est sûrement pas une catastrophe ou l'enfer. Mieux vaut comprendre et mesurer la portée des mots que nous utilisons.

Dans cet exemple, au lieu de se remettre en question et de s'interroger sur ses motifs de craintes, Nathalie continue d'alimenter ses scénarios négatifs. Dès lors, elle éprouve de l'anxiété. Et le cercle vicieux s'enclenche. Plus elle est anxieuse, plus les symptômes physiques se manifestent: insomnie, difficultés à bien s'alimenter, perte de poids.

On peut se demander pourquoi Nathalie a constamment peur de perdre son emploi, alors qu'une de ses collègues, qui occupe un même poste qu'elle, n'a aucune crainte de ce genre.

Tout réside dans la façon dont nous envisageons les événements à venir. Ainsi, certaines personnes craignent des choses qui n'existent pas ou qui risquent fort peu de leur arriver. Nathalie en est un bon exemple. Les risques qu'elle perde son emploi sont pratiquement nuls, mais elle continue malgré tout d'entretenir de telles idées qui l'amènent à ressentir beaucoup d'anxiété. Pourquoi parlons-nous de perception, ici ? Certaines personnes, et c'est peut-être votre cas, ont l'impression qu'il n'y a pas assez de jours dans une semaine. Êtes-vous dans cette situation ?

Tout réside dans la façon dont nous envisageons les événements à venir.

TOUT EST UNE QUESTION DE PERCEPTION

À mon avis, tout est une question de perception. Lorsque j'entends des personnes dire, à la fin d'une journée de travail, qu'elles s'en vont faire leur deuxième travail à la maison, cela me déconcerte. C'est excessivement négatif, vous l'aurez compris. Qu'est-ce que cela signifie ? Que la vie même est une corvée ? Que revenir à la maison pour voir ses enfants, son mari ou sa femme constitue un autre quart de travail ? C'est tout simplement aberrant. Voilà pourquoi je parle de perception. Comment percevez-vous ce que vous avez à faire ?

Avez-vous toujours l'impression de manquer de temps ou, pire, d'être trop occupé pour faire ce que vous voulez vraiment ? Faites-vous partie de ces gens qui sacrifient vie familiale et vie sociale au profit de leur emploi ? Avez-vous des obligations si importantes que vous deviez absolument travailler sans relâche, consacrer 50 ou 60 heures par semaine à votre emploi ? Avez-vous le sentiment de passer à côté des plus belles années de votre vie ? Croyez-vous qu'un jour vous aurez le temps de faire ce que vous voulez, mais certainement pas avant la retraite ? Ou peut-être travaillez-vous 35 heures par semaine, mais avez-vous quand même l'impression de manquer de temps ?

Anecdote

Mon amie Sophie m'a toujours épatée. On travaillait ensemble, et elle me disait parfois : « Ce soir, j'organise un spécial pour mes enfants. On va préparer le souper ensemble et on va faire quelque chose de différent. On commencera le repas par le dessert. Après, parce que les enfants ne trouvent pas toujours agréable de prendre leur bain, surtout lorsqu'ils sont en bas âge, je leur permettrai de prendre une douche en maillot de bain. » Et en effet, Sophie et ses deux enfants ont pris leur douche en maillot de bain. Imaginez la fête !

Comprenez-vous pourquoi tout est une question de perception ? On peut voir différemment le fait de rentrer chez soi comme une corvée de plus, avec l'obligation de préparer le souper pour la famille, de donner le bain aux enfants, d'aider aux devoirs, etc. Pourquoi ce temps ne pourrait-il pas être agréable ? C'est à nous qu'il revient de décider s'il s'agit d'une corvée ou d'un moment de partage en famille.

Du stress et de l'anxiété résulte parfois une vision déformée de ces petits moments de la vie que nous considérons trop souvent comme un poids.

Le stress et l'anxiété sont parfois le résultat d'une vision déformée de ces petits moments de la vie que nous considérons trop souvent comme une corvée.

Trouvez-vous que les statistiques présentées à la page 49 sont normales ou, comme moi, y voyez-vous le signe qu'il est urgent d'agir ?

Vous savez, c'est gentil de lire ce livre, mais il ne suffit pas de dire : « *Wow!* le livre de Stéphanie Milot est extraordinaire, tu devrais le lire. » Remarquez, je n'ai rien contre le fait que vous suggériez mon livre à vos amis, à votre famille, à vos voisins, à vos collègues de travail, à votre belle-mère... Bref, c'est bien de lire, mais il faut aussi agir ; sinon, à quoi bon y consacrer ce temps si précieux ? Ou êtes-vous de ces personnes qui commencent un livre sans jamais le finir ?

Nous pouvons décider de nous prendre en main, de réagir aux événements de la vie en adoptant une attitude différente.

J'en conviens, certains livres ne valent pas le temps qu'on leur consacre, mais une chose est sûre : si vous ne faites pas les exercices que je vous propose, vous ne verrez aucun changement se produire. Et ce sera votre choix, n'est-ce pas ? N'allez pas dire ensuite que tous les livres sont semblables et que, c'est bien beau lire, mais que la vie, ce n'est pas si facile que cela. Que c'est bien beau en théorie, mais qu'en pratique il en va tout autrement. Faux, faux et re-faux !

Suivez-moi !

Nous allons nous poser quelques questions qui nous permettront d'agir et d'effectuer les changements qui s'imposent dans notre vie.

Quelques statistiques intéressantes à analyser

- *Au Québec, plus de 12 % de la population travaille plus de 50 heures par semaine.*
- *Au Québec, plus de 50 % de la population se dit trop stressée.*
- *Au Québec, 25 % des gens ne prennent pas le temps de déjeuner le matin.*
- *Au cours des 25 dernières années, le pourcentage des gens qui cumulent plus d'un emploi a doublé...*
- *Les études cliniques estiment que de 50 à 75 % de toutes les consultations chez le médecin sont motivées avant tout par le stress.*
- *Le stress est un facteur de risque de mortalité plus grave que le tabac.*
- *Parmi les médicaments les plus consommés dans les pays occidentaux, la majorité vise à traiter des problèmes directement liés au stress : antidépresseurs, anxiolytiques, somnifères, antiacides, antihypertenseurs et anticholestérolémiants (source : David Servan-Schreiber,* Guérir*).*
- *En 2005, 53 % des employés se plaignaient d'épuisement attribuable au stress professionnel, par rapport à 39 % en 1995, et cette proportion continue d'augmenter. (Sauf indication contraire, ces chiffres sont tirés du livre* Le secret des gens actifs, efficaces et équilibrés *de Patrick Leroux, Éditions Impact formation, 1999.)*

La plupart du temps, les gens qui font de telles critiques n'ont rien mis en application, et il est donc parfaitement normal que la théorie ne reste pour eux que de la théorie. N'allez surtout pas croire que je suis irritée. Je perdrais ma crédibilité en tant qu'auteure d'un livre sur la gestion des émotions (*Émotion, quand tu nous tiens !*), qui traite abondamment de la colère. Mais je me rends tout simplement compte que les gens qui disent constamment qu'ils n'ont pas le choix, que la vie est dure, qu'ils sont victimes de la vie, que tout est plus facile à dire qu'à faire me désespèrent...

Bref, je pense plutôt que nous pouvons décider de nous prendre en main, de réagir aux événements de la vie en adoptant une attitude différente. C'est ce que je vais tenter de démontrer au fil de ce livre. Si j'atteins mon objectif, eh bien, tant mieux ! Et tant pis pour les autres. Je les aime bien quand même, mais je ne peux rien pour eux. Si vous avez décidé d'acheter l'idée que, « dans la vie, on ne fait pas ce qu'on veut, on fait ce qu'on peut », alors refermez ce livre tout de suite et donnez-le à un ami ! Vous me trouvez intraitable ? Pas du tout ! Je veux simplement vous faire gagner du temps. Par contre, vous avez peut-être plutôt adopté l'idée selon laquelle « quand on veut, on peut ». Dans ce cas, vous êtes prêt, alors suivez-moi !

LES QUESTIONS QUI DEMANDENT DES RÉPONSES

Où allons-nous ? Que voulons-nous faire de notre vie ? Pourquoi sommes-nous sur Terre ? Voilà des questions que plusieurs se posent souvent. Que suis-je venu faire ici ? Quelle est ma mission ? Cette dernière peut vous sembler étrange. « Quelle est ma mission ? » Et pourtant ! Le jour où vous découvrirez ce qu'elle est, vous aurez le sentiment d'être, à chaque minute de chaque heure de chaque jour, au bon endroit au bon moment. Vous aurez le sentiment de vivre beaucoup moins de stress. (Voir la section sur la mission, chap. 10, p. 127.)

D'ailleurs, ce stress diminuera alors de façon très nette dans votre vie. Nous reparlerons un peu plus loin des raisons de notre vie sur Terre, de votre mission, de ce qui vous allume et vous stimule. Et cette fameuse mission est différente pour chacun d'entre nous. C'est également ce qui permet à chacun de vivre sa vie et non pas de la subir.

Certaines personnes pensent que la réussite professionnelle est synonyme de bonheur. Cette croyance n'est pas un problème en soi, mais elle devient problématique lorsque le bonheur est strictement attribué à cette réussite professionnelle, au détriment du reste.

L'histoire de François

François, âgé de 52 ans. Autrefois policier, il avait parallèlement, et dès l'âge de 30 ans, lancé une entreprise à laquelle il consacrait énormément de temps. Lorsqu'il est arrivé à mon bureau, il venait de combattre avec succès un cancer. « C'est la meilleure chose me qui soit arrivée dans ma vie. Sans ce cancer, je n'aurais fort probablement jamais réalisé que j'étais en train de passer à côté de quelque chose de très important : ma famille. »

François n'avait pas vu grandir ses enfants, parce qu'il travaillait trop. Alors, lorsque ses enfants lui disaient : « Papa, viens jouer avec nous », il leur répondait : « Papa est trop occupé ! Papa est trop occupé à gagner de l'argent pour que vous soyez heureux ! » Quel paradoxe ! Ses enfants ne lui demandaient pourtant que de passer un peu de temps avec lui.

Ce cancer est la meilleure chose qui soit arrivée à François, parce que cela l'a forcé à faire une prise de conscience. Désormais grand-père, il avait décidé de consacrer du temps à son épouse, à ses enfants et à ses petits-enfants. Les années perdues ne se retrouvent pas, mais il était résolu à ne pas en perdre d'autres. N'est-ce pas extraordinaire ?

Combien de fois entendons-nous les gens dire : « Il a fallu qu'arrive tel ou tel événement, telle ou telle situation, un accident ou une maladie, pour me faire comprendre que je suis en train de passer à côté de quelque chose » ?

Et vous, qu'attendez-vous ? Attendez-vous qu'il vous arrive des problèmes de santé pour faire cette prise de conscience ? Bien sûr, ces propos interpellent ceux qui se sentent concernés. Comme le dit l'expression : « Si le chapeau vous fait, mettez-le ! »

Mais si vous n'êtes pas dans ce genre de situation, vous avez probablement décidé de lire ce livre pour être mieux outillé afin de vivre moins de stress. Dans ce cas, bravo pour votre initiative ! Mais ceux et celles qui ont constamment l'impression de passer à côté des choses essentielles de leur vie, comme la famille ou les enfants, ne voudront certainement pas attendre un accident ou une maladie, ou tout autre événement d'importance, pour se réveiller.

Notes

Que retenez-vous de la lecture de ce chapitre ? Quelles sont les prises de conscience qui vous inciteront à agir différemment ? Que ferez-vous à l'avenir ?

CHAPITRE 4

Chacun réagit différemment au stress

La réaction au stress se manifeste de diverses façons chez les individus : manger sans arrêt ou, au contraire, cesser complètement de manger ; souffrir d'insomnie ou trop dormir. Certaines personnes se sentiront constamment découragées, à plat, épuisées. D'autres auront des crises de larmes, d'autres encore seront totalement écrasées ou, à l'inverse, auront des réactions d'irritation, de colère. Et puis, il y a tous ces gens qui, par compensation, sombreront dans des excès. Magasiner parce qu'on vit du stress, commencer à boire un petit peu plus d'alcool, parce que ça décompresse, jouer, aller au casino, parce que cela fait du bien, cela détend… Que d'illusions !

Et que dire de ceux qui vont se tourner vers les cabinets de médecins pour se faire prescrire des antidépresseurs, des anxiolytiques, parce que « c'est bien d'être sur le Prozac », de nos jours, à tel point que certains parlent même de l'ère du Prozac ! Les antidépresseurs sont assurément à la mode.

Et n'allez pas croire que c'est parce que aujourd'hui les gens sont plus dépressifs. Cela semble être davantage une affaire de contexte social : les médecins sont surchargés, les gens sont à la recherche de solutions rapides, faciles et toutes prêtes. Voilà peut-être ce qui explique en partie que, dans certains cas, les prescriptions soient si populaires. Bien entendu, tous les médecins ne sont pas à mettre dans le même sac, beaucoup sont très consciencieux, malgré les difficultés auxquelles ils ont à faire face (pression, exigences, attentes). Malheureusement, pour d'autres, la solution de facilité semble dominer. Que voulez-vous, les cliniques et les hôpitaux sont tellement débordés ! C'est plus facile de régler le problème comme cela, compte tenu de si nombreuses contraintes. En tout cas, voilà qui semble plus rapide et plus efficace à court terme.

De 1981 à 2000, le nombre total d'ordonnances s'est accru de 353 % pour tous les antidépresseurs, passant de 3,2 millions à 14,5 millions.

Autres statistiques inquiétantes, en 2003 les Québécois ont obtenu 5,1 millions d'ordonnances d'antidépresseurs contre seulement 2,5 millions en 1999, soit une hausse de 104 % en 4 ans. En outre, les dépenses consacrées par les Canadiens aux antidépresseurs ont augmenté de 70 % de 1999 à 2004.

Le propos de ce livre n'est pas de dénoncer la consommation de médicaments ou de juger ceux qui prennent des antidépresseurs, puisqu'il est évident que de nombreuses personnes en ont réellement besoin. Le problème se pose lorsque ces médicaments sont prescrits sans que la cause sous-jacente n'ait été décelée et traitée. Pourquoi en êtes-vous là ? Que s'est-il passé ? Mettre un diachylon sur une jambe de bois ne résoudra certainement pas le problème. Il vaut mieux s'interroger sur les causes qui vous ont conduit à en arriver là et agir sur ces causes.

L'histoire de Fabienne

Fabienne s'est réveillée un beau matin sans énergie pour se lever. Elle devait se rendre au travail, mais avait perdu toute envie de le faire. Elle n'était même pas capable de téléphoner à son employeur pour lui dire qu'elle ne se sentait pas bien. En fait, elle savait pertinemment qu'elle se sentirait coupable par la suite. Alors, elle a fini par se lever. Toutefois, elle a commencé à ruminer et à ressentir de l'amertume. À peine avait-elle mis un pied hors du lit qu'elle s'est dit que la journée serait longue, que ce n'était vraiment pas drôle, qu'elle en avait ras-le-bol de ce travail.

Questionnons-nous. Quelle image et quels messages transmettons-nous aux générations futures, à nos enfants, lorsque nous choisissons dans notre propre vie de recourir à des solutions faciles et rapides ? Bien sûr, certaines pilules (par exemple des somnifères) semblent efficaces à court terme. Mais quelles sont les conséquences d'en consommer à long terme ? Quand nous refusons parfois de faire les efforts nécessaires pour affronter des problèmes qui exigent du temps, il n'est pas étonnant de se retrouver dans des situations où nous voulons tout, tout de suite ! On entend souvent que, dans la société actuelle, on ne peut pas attendre. Pas le temps, cela doit être rapide ! Satisfaction immédiate ! Pensons aussi à tous ces magasins qui offrent du financement permettant de se procurer des articles sur-le-champ et de les payer en plusieurs années. Ces articles auront le temps d'être abîmés et démodés bien avant qu'on ait fini de les payer. Eh oui, on peut se procurer un lecteur DVD pour 67 cents par mois, et ce, pendant seulement 36 mois ! Il ne s'agit pas de blâmer qui que ce soit, mais simplement d'avoir des comportements plus responsables !

Puis, certaines questions lui sont venues à l'esprit : « Pourquoi est-ce que je fais ça ? À quoi ça sert ? Je n'en ai plus envie, ça ne m'apporte plus rien... » Puis, elle s'est dit qu'une douche lui ferait probablement du bien. Mais même une douche chaude ne replace pas forcément les idées. Sur le chemin du travail, à plusieurs reprises, elle a failli faire demi-tour et rentrer chez elle. Mais chaque fois une petite voix intérieure lui disait : « Non, non, Fabienne, tu dois continuer, tu dois absolument aller travailler. » Elle savait que sa journée ressemblerait à toutes les autres depuis plusieurs mois : longue, chargée de frustrations et de diverses sources d'irritations, surchargée de travail, entrecoupée de multiples interruptions inutiles et, bien entendu, du fameux *meeting* du lundi matin. À la fin de la journée, elle rentrerait chez elle en se disant : « La journée n'est pas finie, je m'en vais faire un autre quart à la maison. »

DEUX ÉLÉMENTS IMPORTANTS À IDENTIFIER

Si vous vous reconnaissez en Fabienne, peut-être vous êtes-vous déjà demandé comment vous avez fait pour en arriver là ? Que s'est-il passé ?

Dans le cas de Fabienne, deux éléments importants se dégagent. Le premier est identifié par les « Il faut... » : « Il faut absolument que j'aille travailler. » C'est la petite voix intérieure qui nous dicte ce que nous devons absolument faire. Le second élément mérite qu'on s'y attarde un peu plus. Il s'agit de la pensée continuellement négative qu'on retrouve chez ces personnes qui voient toujours le verre à moitié vide.

Pourquoi certaines personnes donnent-elles toujours l'impression de vivre en enfer sur Terre, pourquoi toutes choses ont-elles l'air de les accabler ? Comment expliquer que la vie paraît toujours s'acharner sur elles ? Pourquoi la moindre petite épreuve devient-elle une catastrophe à leurs yeux ? Vous en connaissez sûrement, il se peut même parfois que vous vous reconnaissiez dans certaines de ces attitudes !

Vous voulez quelques exemples ? Les personnes de ce type se plaignent constamment, n'aiment pas leur travail, même si elles occupent le même emploi depuis 10 ou 15 ans. Mais il n'y a pas de risque qu'elles fassent des démarches pour améliorer leur sort ! Non ! De toute façon, elles entretiennent l'idée qu'il n'y aurait aucune chance que ça marche. Elles se plaignent de leur patron qui les exploite, elles sont frustrées du fait que ce soit toujours les autres qui ont les promotions, se lamentent que leur bureau est trop petit, que le café est mauvais, que l'écran de leur ordinateur leur fait mal aux yeux. Bref, c'est toujours l'enfer !

Ces individus sont constamment en train de se plaindre de leur vie de couple, mais évidemment, ce n'est pas leur faute... C'est toujours la faute de l'autre, si ça va mal. S'ils ont des enfants, il y a fort à parier qu'ils ont des problèmes avec eux... Et à coup sûr, s'ils sont malades, ils le sont bien plus que les autres. Ils trouvent qu'ils payent trop de taxes, trop d'impôts, que le gouvernement les vole... L'été, il fait trop chaud, et l'hiver il fait trop froid... Lorsqu'il pleut, c'est infernal, et lorsqu'il y a trop de soleil, c'est aveuglant ! L'état des routes est exécrable, mais lorsque la voirie les répare, les travaux bloquent la circulation. Bref, il n'y a rien qui fait l'affaire, ou du moins qui semble être à leur avantage.

Voilà des exemples d'éternels pessimistes. Je les appelle les grugeurs d'énergie. En leur présence, nous avons la sensation qu'ils drainent notre énergie. Vous ne me croyez pas? Rien que d'en parler, je me sens plus fatiguée!

Ce qui est encore plus important, avec ce type de personnes, c'est qu'en plus de vous épuiser, puisqu'elles vous donnent des occasions de connaître des sentiments négatifs, leur comportement a une influence directe sur votre système immunitaire, c'est-à-dire que cela affecte votre capacité à vous défendre contre différents microorganismes. Fréquenter des gens pessimistes pourrait-il augmenter les risques d'être malade?

Plusieurs études démontrent que, lorsque nous sommes en situation de conflit ou en présence de personnes négatives, notre système immunitaire en est grandement affecté. L'institut HeartMath, en Californie, une organisation qui conçoit des moyens d'aider les gens à vivre moins de stress, à se sentir mieux et à augmenter leur niveau de performance, a mesuré le niveau d'IgA (des anticorps qui bloquent les agents microbiens et pathogènes à l'intérieur de l'organisme) chez des personnes ayant visionné un film comportant des scènes d'une grande violence. Quelques heures après la fin du film, une autre mesure a permis de constater que leur niveau d'IgA (anticorps) avait considérablement diminué.

Arrêtons donc de croire que notre santé n'est pas affectée par les personnes négatives ou par les nouvelles sans cesse épouvantables qu'on nous présente à la télévision et dans les autres médias.

Dans le but de démontrer que ce que nous voyons, entendons et ressentons influe sur notre santé physique, les chercheurs de l'institut HeartMath ont réalisé une étude sur le niveau de base des IgA d'un groupe de personnes. Dans un premier temps, celles-ci devaient se rappeler quelqu'un qui les mettait en colère, qui les irritait, puis on leur demandait d'y penser pendant cinq minutes. Résultat: le niveau d'IgA a d'abord augmenté, puis, une heure plus tard, il est tombé à moins de la moitié du niveau de base. Et six heures plus tard, le niveau d'IgA était encore inférieur au niveau initial. Ainsi, le fait d'avoir des pensées négatives a fait chuter le taux d'anticorps, ce qui signifie concrètement que la capacité de ces personnes à se défendre contre les bactéries avait diminué d'autant.

Dans un deuxième temps, les mêmes personnes devaient se remémorer une situation où elles s'étaient senties entourées d'amour, donc dans lesquelles elles se sentaient bien. On a mesuré leur niveau d'IgA et constaté qu'il était à son niveau de base. Enfin, on a demandé à ces participants de se rappeler un souvenir où ils ont senti de la sollicitude envers eux-mêmes. Les chercheurs ont alors noté que leur niveau d'IgA augmentait lentement, jusqu'à dépasser le niveau de base.

À la suite des résultats de cette étude, il apparaît évident que, lorsque notre corps et notre esprit sont exposés à des éléments négatifs, qu'il s'agisse d'une personne pessimiste ou d'un autre facteur, cela a des effets sur l'émotivité et sur l'organisme. Il est donc fondé d'affirmer que cela affecte votre corps sur le plan physiologique. Voilà pourquoi il est sage de bien choisir nos fréquentations[4] !

Pourquoi faut-il absolument que... ?

Revenons à l'histoire de Fabienne et penchons-nous sur les « Il faut que... » que nous nous imposons continuellement. Il faut faire de l'exercice ; il faut aussi se relaxer ; il faut forcément aller faire l'épicerie ; il faut aussi absolument terminer ce travail rapidement ; il faut rappeler tante Gertrude ; il faut aussi passer du temps avec son amie déprimée ; il faut à tout prix pelleter l'entrée ; et il faut, bien sûr, faire sa séance de méditation transcendantale...

Avec une telle liste – qui s'allonge tous les jours, pour certaines personnes –, comment voulez-vous arriver à prendre le temps d'être heureux ? Avec une telle liste d'obligations que vous vous imposez, ne vous demandez plus pourquoi vous êtes constamment stressé. Reprenons-la un instant : il faut impérieusement mettre de l'argent de côté pour notre retraite ; il faut absolument travailler 50 heures par semaine si nous voulons gagner suffisamment d'argent, parce qu'il faut aussi acheter un nouvel équipement de ski pour les enfants.

Réfléchissez bien ! Avez-vous déjà pensé à remettre en question toute la liste de vos « Il faut absolument que... » ? Je vous invite à

4. Adapté de Cherryl Richardson, *Reprenez votre vie en main : 52 façons,* Varennes, Éditions ADA, 2001.

énumérer toutes les obligations que vous vous imposez, tous les jours de votre vie. Ensuite, remettez les choses en perspective, en répondant à cette question : « Pourquoi faut-il absolument que… ? »

Exercice de réflexion 2 : Liste des « Il faut que… »

Pourquoi faut-il absolument que… ?

____
____
____
____

Qu'arriverait-il si je ne le faisais pas… ?

____
____
____
____

Serait-ce réellement grave ?

____
____
____
____

J'aime bien poursuivre ma réflexion sur les « Il faut que… » selon l'angle suivant. Une fois que nous nous sommes questionnés sur ce qui arriverait si nous ne faisions pas ce que le « Il faut… » nous prescrit, nous nous retrouvons face à deux options. D'une part, nous pouvons décider de ne pas obtempérer au « Il faut que… » et accepter de vivre avec les conséquences, parce que, au fond, cela nous apparaît supportable. D'autre part, nous pouvons choisir de lui obéir parce que c'est important pour nous et que nous ne souhaitons pas vivre avec les conséquences qui en découleraient. Ainsi, nous sentons que nous contrôlons davantage notre vie, puisque nous sommes en accord avec les choix que nous faisons. Mais il est possible de nous réajuster quant à la façon de réaliser nos tâches.

Voici l'exemple d'une mère de famille qui, depuis le début de la fin de semaine, se répète sans cesse qu'elle doit faire le ménage dans la maison. Elle le retarde, se sent coupable et s'entend se tenir le même discours: « Il faut que je fasse le ménage. » Lorsqu'elle s'arrête quelques instants et se pose la question: « Qu'arriverait-il si je ne le faisais pas ? », elle se répond que la maison serait sale et qu'elle ne se sentirait pas bien. En effet, elle se rend compte que c'est important pour elle d'avoir une maison propre et ordonnée.

À la suite de cette réflexion, elle a choisi de faire son ménage, et avec plaisir, même. Elle a donc adopté une attitude plus positive. La tâche lui est apparue moins lourde et, surtout, ce n'était plus devenu une obligation, mais un choix. Cependant, en répondant à la même question, elle aurait pu se rendre compte que ce ne serait pas si grave que cela, si elle ne faisait pas le ménage cette fois. Au fond, la maison n'est pas si sale, cela aurait bien pu attendre à la semaine suivante. Cette femme prend alors conscience qu'elle n'est pas obligée de s'imposer une telle rigueur de propreté, puisqu'elle souhaite aussi investir du temps dans ce qui constitue ses autres priorités: s'occuper de ses enfants, de son conjoint, se consacrer du temps, se reposer. Elle aurait aussi pu envisager d'autres options afin d'alléger sa tâche de ménage, par exemple recourir à des services d'entretien ménager ou répartir les tâches entre les membres de sa famille.

Se poser de telles questions peut vous aider considérablement à avoir un regard nouveau et différent sur tous ces « Il faut que... », et vous permettre ainsi de décider au sujet de ce que vous voulez vraiment faire. (Voir aussi la section sur les priorités, chap. 11, p. 141.)

L'histoire de Martine

Depuis des années, Martine s'était elle-même imposé un régime de vie très strict. Sur le plan professionnel, elle s'était fixé une multitude d'obligations, en se disant qu'il fallait absolument qu'elle atteigne un poste hiérarchique élevé dans son entreprise. Martine avait travaillé avec acharnement pendant de nombreuses années pour atteindre ce statut. Elle y avait consacré énormément d'heures et cela n'avait pas toujours été facile.

À plusieurs reprises, elle avait été contrainte de renoncer à être présente à des fêtes familiales, parce qu'il fallait qu'elle travaille, parce qu'elle voulait absolument obtenir sa promotion. Elle a, bien entendu, perdu quelques amis en cours de route, faute de temps pour les voir. Sa condition physique s'est détériorée, parce qu'elle n'avait plus le temps de prendre soin d'elle, de s'entraîner. Tout cela a duré jusqu'au jour où elle a enfin obtenu la promotion tant convoitée.

Quelques mois plus tard, Martine est venue me consulter. Elle était totalement découragée : « Pendant des années, j'ai voulu obtenir ce poste-là, je m'en suis fait une obligation et je réalise aujourd'hui que je ne suis pas plus heureuse ! » Je lui ai simplement répondu : « Tu dois te sentir aujourd'hui comme quelqu'un qui a gravi un à un les échelons d'une échelle qui était appuyée contre le mauvais mur. »

Ce sont des choses qui arrivent fréquemment, et à plus de gens qu'on pense. Dans ma profession, on entend souvent des expressions du genre : « Moi, je serai heureux le jour où... », « Je vais être heureux quand mes enfants seront autonomes... », « Je vais être heureux quand mes enfants partiront de la maison... », « Je vais être heureux lorsque j'aurai cette promotion... », « Je vais être heureux lorsque je serai en vacances... », « Je vais être heureux lorsque je prendrai ma retraite... », « Je vais être heureux lorsque j'aurai 50 000 dollars à la banque... », « Je vais être heureux lorsque j'aurai la voiture de l'année ».

Tout compte fait, lorsque ces personnes obtiennent ce qu'elles convoitaient tant, elles se rendent compte qu'elles ne sont pas nécessairement plus heureuses. Souvent, même, elles comprennent qu'elles souhaitent déjà autre chose et n'apprécient pas nécessairement ce qu'elles désiraient tant.

À ce moment-là, nous nous rendons compte qu'en réalité ce n'est pas tellement ce que nous voulons obtenir sur le plan matériel qui importe ou qui nous rend heureux, mais beaucoup plus la façon dont nous nous sentons, dont nous apprécions ce que nous possédons, la manière que nous avons de profiter de la vie au maximum.

Malheureusement, le chemin emprunté pour atteindre l'objectif fixé n'est pas toujours le meilleur. Au lieu de tirer profit de tous ces petits instants qui mènent au but, nous exprimons notre hâte d'y arriver. Et lorsque le but est atteint, quelles désillusions parfois ! En particulier lorsque tout n'est pas aussi beau que nous nous l'étions imaginé.

À force de nous imposer une liste interminable de « Il faut que... », nous finissons par passer à côté de l'essentiel. Il faut absolument exceller comme parent, il faut être la femme ou l'homme idéal, il faut être une « *superwoman* », il faut être capable de concilier à merveille vie professionnelle et vie familiale, il faut être un bon ami, disponible, à l'écoute des autres, et il faut aussi avoir une maison impeccable. Mais en même temps, il faut aussi rester détendu et, bien sûr, il faut aussi prendre la vie avec un grain de sel !

Foutaise ! Qui a dit qu'il faut absolument arriver à cela pour être heureux ? Ce ne sont que des obligations que nous nous imposons. Ce sont les conditions que nous nous fixons nous-mêmes pour notre bonheur. Malheureusement, si toutes ces exigences ne sont pas remplies, nous avons bien souvent l'impression de passer à côté de quelque chose.

Beaucoup de gens croient qu'ils ne pourront pas être heureux tant qu'il leur restera quelque chose à régler.

La réalité est que nous aurons toujours des choses à régler, cela fait partie de la vie. Il est illusoire de penser que nous pourrons toujours être parfaitement heureux, au-dessus de tout, tout le temps, complètement et totalement. Qui a dit que cela devait être ainsi ? Néanmoins, beaucoup de personnes s'accrochent à cette illusion et, lorsqu'elles se rendent compte qu'il leur sera impossible d'atteindre ces objectifs irréalistes, la déception et son corollaire, le stress, les guettent.

L'histoire de Pierre-René

Pierre-René raconte que, tous les samedis soir, il faut absolument qu'il aille souper avec son épouse et ses enfants chez sa belle-mère. Pour Pierre-René, c'est une véritable corvée ! Il appréhende de voir le samedi soir arriver, car il sait qu'il devra absolument voir sa belle-mère. À la question : « Qui t'a dit qu'il fallait voir ta belle-mère tous les samedis pour le souper ? », il a répondu : « Parce que c'est comme ça. Il faut absolument qu'on y aille. »

Et vous, que feriez-vous à la place de Pierre-René ? Il y a deux pistes possibles. La piste n° 1 consiste à se poser la question suivante : « Pourquoi faut-il absolument aller tous les samedis chez la belle-mère ? Qui a imposé cela ? Y a-t-il une règle qui m'y oblige ? » La réponse à cette question permet de remettre nos valeurs en perspective. Pierre-René a répondu : « Il faut absolument qu'on y aille, parce que c'est comme ça. Ma femme a décidé que c'est comme ça, parce que, dans la famille de mon épouse, cela a toujours été comme ça. Il y a toujours eu un souper familial le samedi et ça n'a jamais été remis en question. » Pierre-René a été amené à considérer le point de vue suivant : « Pourquoi ne remettriez-vous pas cela en question ? » Voilà la première façon de voir les choses.

La piste n° 2 consiste à se poser la question : « Comment se fait-il que ça m'horripile à ce point d'y aller tous les samedis ? » Voilà une autre façon d'aborder le problème.

Pour résumer, voici trois questions à se poser lorsque nous nous imposons quelque chose :

- *Dois-je absolument faire ceci ou cela ? Est-ce qu'il faut absolument que...*
- *Comment cela se fait-il que cela me dérange autant ?*
- *Qu'arriverait-il si je ne le faisais pas ? Pourrais-je vivre avec cette décision ?*

En continuant de discuter, Pierre-René a en effet compris qu'il n'y avait aucune obligation à aller chez sa belle-mère tous les samedis. C'était une visite que son épouse et lui s'étaient imposée. Et, tout compte fait, y aller toutes les deux ou trois semaines serait tout aussi satisfaisant pour lui, pour sa conjointe, tout autant que pour les grands-parents et les enfants.

L'histoire du jambon

Pourquoi avons-nous donc tendance à agir sans jamais remettre nos actes en question ? L'histoire du jambon illustre à merveille cette question.

Un mari demande à son épouse : « Pourquoi est-ce que tu coupes les deux bouts du jambon pour le faire cuire ? » Elle lui répond : « Je ne sais pas, ma mère a toujours fait ça ! » Le mari, curieux de nature, va voir sa belle-mère et l'interroge : « Pourquoi coupez-vous toujours les deux bouts du jambon ? » La belle-mère répond : « Je ne le sais pas, ma mère a toujours fait ça ! »

Le mari, qui est persévérant, va voir la grand-mère de son épouse et lui demande : « Pourquoi coupiez-vous le jambon aux deux bouts ? » Et la grand-mère de lui répondre : « Parce qu'à l'époque mon four était trop petit... Alors je devais couper le jambon pour l'y faire cuire ! »

Nous tenons trop souvent pour acquis des idées ou des façons de faire, sans nous interroger sur leur pertinence.

Nous tenons trop souvent pour acquis des idées ou des façons de faire, sans nous interroger sur leur pertinence. Combien de fois le faisons-nous ? Combien de fois dans notre vie faisons-nous ceci ou cela parce que « c'est comme ça », sans jamais en remettre en question le bien-fondé ?

Le verre toujours à moitié vide

J'en reviens aux éternels négatifs, vous savez, ceux qui nous grugent parfois beaucoup d'énergie. Bref, certains individus ont l'art de voir les choses de façon négative. L'idée, ici, n'est pas de mettre des lunettes roses ou de voir la vie à travers un filtre constamment positif. Il s'agit plutôt de voir les choses de façon réaliste.

Il ne s'agit pas de mettre des lunettes roses ou de voir la vie à travers un filtre positif. Il s'agit plutôt de voir les choses de façon réaliste.

Comment se fait-il que certaines personnes, après leur journée de travail, se focalisent sur le seul petit grain de sable qui a pu se glisser dans leur belle mécanique bien huilée ? Si 100 autres événements se sont bien déroulés, pourquoi ne parlent-elles que de ce qui s'est mal passé ? À la maison, pendant le souper, elles vont continuer à ruminer sur la seule petite contrariété de la journée. Est-ce que certains se reconnaissent ? Je vous pose la question.

- *Sur quoi portez-vous votre attention ?*
- *Avez-vous tendance à vous focaliser sur ce qui va mal ?*
- *Est-ce plus habituel pour vous de retenir ce qui va moins bien ?*

Si vous ne vous reconnaissez pas dans cette description, tant mieux. Mais je sais pertinemment que certains ont tendance à agir de la sorte à l'occasion.

L'histoire d'Alain

Alain est représentant en ventes dans une importante entreprise pharmaceutique. Il a le don de raconter ses difficultés de la semaine avec certains clients. Et si on lui demande : « Y a-t-il au moins des clients avec qui tout a bien été cette semaine ? », il répond invariablement : « Ah oui ! Avec la majorité des clients, tout s'est bien déroulé. Mais celui-là a été vraiment difficile... » Et le voilà reparti sur le sujet.

En ressassant constamment les aspects négatifs de sa semaine, Alain ne fait qu'alimenter son anxiété. Il s'ajoute de plus en plus de stress sur les épaules en se focalisant uniquement sur la petite difficulté qu'il a éprouvée. Au lieu de se féliciter de toutes ses réussites et des ventes qu'il a parfaitement réalisées, il cherche la petite bête.

L'idée n'est pas de devenir un adepte inconditionnel de la pensée positive. Mais prenez le temps d'avoir en tête cette statistique : même si 80 % des choses se déroulent parfaitement dans leur vie, certaines personnes s'attardent aux 20 % des petits accrocs qu'elles ont connus.

Vous êtes en très bonne santé, vous avez une relation de couple harmonieuse, de bons enfants, gentils et intelligents, mais là où le bât blesse, c'est au travail !

La grande majorité des choses que nous appréhendons ne se produisent jamais.

Et voilà que vous vous laissez affecter par cet aspect plus morose de votre vie. Au lieu de vous dire qu'il y a 80 % des choses qui vont bien dans votre vie et que vous devriez donc vous sentir relativement satisfait, ce n'est pas ce que vous faites. Vous vous braquez sur les 20 % de petits problèmes. Et ces 20 % de petits problèmes deviennent à 80 % responsables de votre mal-être. Vous les alimentez, vous vous faites des scénarios. N'oubliez pas que plus vous nourrissez ces scénarios, plus vous vous sentez mal. Savez-vous que la grande majorité des scénarios que nous nous faisons n'arrivent jamais ? Oui, vous avez bien lu : la grande majorité des choses que nous appréhendons ne surviennent pas.

Alors, pensez à toutes les fois où vous avez gaspillé de l'énergie en vous racontant des histoires. Notre société a de très bons scénaristes méconnus. Ils sont passés maîtres dans l'art de dramatiser les événements quotidiens qu'ils vivent. Dès lors, même s'ils sont en bonne santé, même s'ils ont un conjoint qui les rend heureux et de bons enfants, plus rien n'a d'importance à leurs yeux. Pourquoi? Simplement parce qu'ils sont centrés sur les aspects plus négatifs de leur vie.

Anecdote

Si on demande à deux personnes qui traversent une foule de compter les visages souriants, que se produit-il, d'après vous ? Évidemment, celle qui est elle-même souriante dénombrera davantage de sourires, alors que celle qui est triste ne verra que ceux qui ont l'air malheureux !

À partir de maintenant, je vous invite à dresser la liste des aspects les plus positifs de votre vie et à la garder précieusement bien à la vue. Faites l'exercice. Le jour où vous aurez tendance à dire que tout va mal, relisez-la.

Exercice de réflexion 3 : Qu'est-ce qui va bien dans ma vie ?

____

____

____

____

____

Anecdote

Voici un événement que j'ai vécu à l'automne 2005, plus précisément le 1er septembre 2005. Par une magnifique journée, mon conjoint a eu la brillante idée d'essayer sa nouvelle moto de cross. Ce jour-là, il a décidé de s'engager sur une nouvelle piste où il y a des « méga-sauts ».

Il faut savoir que Louis-Jean est téméraire, très téméraire même. Il vit à 100 à l'heure. Ceux qui me connaissent trouvent que j'ai de l'énergie, mais ce n'est rien comparé à lui : il en a 10 fois plus que moi. Vous imaginez le portrait. Après deux cafés chacun, le matin, je peux vous dire qu'il y a de l'action dans la maison. Louis-Jean s'est déjà infligé 27 fractures dans sa vie. « Fragile », allez-vous dire ? Non, plutôt un peu fou. Je dis cela avec amour, évidemment. Vous l'aurez compris !

Bref, en cette belle journée, Louis-Jean décide de faire comme Evel Knievel, comme dans un super motocross, et prend un méga-saut... C'est la dernière chose qu'il se rappelle. Une minute avant, il était sur sa moto, deux minutes après, il était couché sur le dos, la colonne vertébrale fracturée à quatre endroits, plusieurs côtes cassées et un poumon presque perforé.

On le conduit d'urgence au centre de traumatologie de l'Hôpital du Sacré-Cœur, et les médecins constatent que son état est grave, très grave. Je me rappellerai toujours les longues heures écoulées dans le couloir de l'urgence, en face de la salle 171, celle qui est réservée aux accidentés de la route. Les plus longues heures de ma vie. À ce moment-là, je ne sais pas encore si mon conjoint remarchera un jour, ni même s'il survivra.

C'est alors que je me dis qu'il est temps de mettre en application ce que je répète dans mes conférences, dans mes livres et à mes clients. Je me parle et je me secoue les puces, si vous me permettez l'expression. Dans des moments comme ceux-là, il est très difficile de ne pas se faire de scénarios, de ne pas imaginer le pire.

Les parents de Louis-Jean sont venus de Trois-Rivières, et sa sœur Marie est là aussi. Nous attendons. Le médecin sort finalement et nous lance : « Ce gars-là vient de gagner à la loterie. Il ne le sait pas, mais il a eu la chance de sa vie. Dans un cas pareil, la majorité des gens seraient paralysés à tout jamais. Pas lui. La moelle épinière n'a pas été touchée, même si une de ses quatre fractures est très grave et a failli le laisser en chaise roulante. Il va remarcher. »

Les mois ont passé, la réhabilitation a été longue. Les parents de Louis-Jean sont venus vivre chez nous pendant un mois, car il était constamment couché, incapable de se lever seul. Avec le temps, son état s'est amélioré, il avait un moral d'enfer... Et bien sûr, cela lui a été très bénéfique.

Il me disait souvent : « Stéphanie, il y a une bonne raison pour laquelle cet accident est arrivé. Je ne sais pas encore pourquoi, mais il y a une bonne raison. » Vous vous dites sûrement : « On le sait bien, ce gars sort avec Miss Motivation en personne ! » Mais je peux vous dire que cela n'a rien à voir.

Au fil de ces événements, deux éléments m'ont surprise. Tout d'abord, durant toutes les semaines où Louis-Jean est resté hospitalisé, j'ai observé les infirmières et les médecins de l'urgence. Déformation professionnelle, direz-vous. Pas vraiment. J'ai passé tellement de temps à l'urgence que j'ai eu le temps de les observer. J'ai été étonnée de constater à quel point le personnel soignant avait un moral extraordinaire, malgré toute la souffrance dont il était témoin au jour le jour.

Le soir où Louis-Jean a été hospitalisé, deux jeunes de 20, 21 ans, qui venaient d'avoir un grave accident de la route, sont arrivés. La jeune fille avait été éjectée du véhicule, le jeune homme en était resté prisonnier. Leur voiture avait fait plusieurs tonneaux avant de finir sa course dans un champ. La fille était entre la vie et la mort, lui était défiguré.

J'ai vu les deux civières passer devant moi, alors que j'attendais des nouvelles de mon Louis-Jean. C'était une vision d'horreur. Deux personnes si jeunes qui venaient de voir leur vie basculer. Et pendant ce temps, tout le personnel, qui faisait un travail formidable malgré une pression incroyable, gardait le moral et arrivait même à avoir l'air d'avoir du plaisir à faire son travail. Je trouvais cela extraordinaire. Cela venait confirmer ce que je dis depuis longtemps : ce ne sont pas les conditions dans lesquelles nous travaillons qui nous font vivre du stress, c'est la façon dont nous envisageons notre travail.

Ce ne sont pas les conditions dans lesquelles nous travaillons qui nous font vivre du stress, c'est la façon dont nous envisageons notre travail.

J'ai eu l'occasion de discuter avec plusieurs personnes qui travaillaient à l'urgence, et la majorité d'entre elles me disaient qu'elles avaient le sentiment de changer quelque chose dans la vie des gens, d'être utiles. Les gens qui sortaient de là leur étaient reconnaissants. (Les deux jeunes dont je vous ai parlé s'en sont bien sortis. J'ai eu la chance de les revoir et ils n'ont aucune séquelle de leur accident, Dieu merci !) Et même si ce n'est pas toujours facile de travailler dans ces conditions, à l'urgence, ils arrivaient à faire face aux situations avec une attitude extraordinaire. Ils parvenaient à se recentrer sur ce qu'ils apportaient aux gens, au lieu de se focaliser sur les pertes de vies dont ils étaient souvent témoins et sur la souffrance.

Le deuxième élément qui m'a surprise a été l'attitude de mon copain : il a su garder le moral durant toute cette épreuve. Je savais que je partageais ma vie avec un éternel positif, qu'il avait l'art de toujours voir le bon côté des choses, mais, vous en conviendrez, c'est facile d'avoir une attitude positive quand la vie va bien. C'est lorsque des épreuves arrivent que nous voyons vraiment ceux qui vont garder le moral, qui vont essayer de voir le bon côté des choses, même si ce n'est pas toujours évident.

Si vous vous dites : « Ce gars est positif de nature, alors c'est facile pour lui ! », permettez-moi de vous demander : « En quoi est-ce plus facile pour lui que pour les autres ? »

La résilience, c'est la capacité de rebondir après des situations difficiles.

Ne pensez-vous pas que chacun peut cultiver une telle philosophie de vie ? Pourquoi ne pas s'exercer quand ça va bien ? Ainsi, lorsque les difficultés surviendront, nous serons déjà habitués à rechercher, puis à trouver les aspects positifs, et ce, même dans ce qui semble être un grand malheur. Si tout va bien dans votre vie, profitez-en pour commencer à voir le bon côté des choses, faites-en une habitude, un mode de vie. C'est ce qu'on appelle acquérir de la résilience. Et c'est quelque chose qui se construit. La résilience, c'est la capacité de rebondir après des situations difficiles.

On peut cultiver la résilience, on peut apprendre à la pratiquer. Ainsi, lorsque les épreuves surviennent, si nous avons pris l'habitude de nous demander : « Qu'y a-t-il de bon là-dedans, que puis-je apprendre de cette situation, quelle leçon de vie puis-je en tirer ? », nous avons des chances de trouver des réponses constructives. Posez-vous les bonnes questions et vous obtiendrez les bonnes réponses ! Vous pouvez évidemment vous demander : « Pourquoi ça m'arrive ? Pourquoi moi ? » Si c'est le cas, vous n'êtes pas en train de vous focaliser sur les bonnes choses. De plus, en quoi est-ce utile de vous questionner sur les raisons d'un événement malheureux ? Surtout quand il ne semble pas y avoir de réponses. Il est préférable de vous demander : « Que puis-je retirer de cette situation ? Que puis-je en apprendre ? »

Résumé des questions à se poser pour surmonter les difficultés

- *Que puis-je apprendre de cette situation ?*
- *Quelle leçon de vie puis-je en tirer ?*
- *Comment pourrais-je agir différemment à l'avenir ?*
- *Que cache cette situation ?*

SIX RÉACTIONS TYPIQUES DES GENS QUI VIVENT ÉNORMÉMENT DE STRESS

Réactions typiques	Façons de les contrer
1. Dévaloriser ses capacités à résoudre des problèmes.	• Faire la liste de ses capacités et de ses ressources. • Se focaliser sur ses qualités. • Répertorier ses points forts. • Se poser les questions suivantes : « Lorsque j'ai éprouvé un problème, qu'ai-je fait ? Quelles sont mes aptitudes et qualités ? Quelles sont les ressources intérieures qui m'ont permis de résoudre ce problème ? »
2. Entretenir des discours négatifs : « Je n'y arriverai jamais. Je ne suis pas bon, j'ai fait une erreur. C'est l'enfer. »	• Donner plus d'importance à ses succès. • Visualiser des souvenirs agréables, lorsqu'on est en pleine possession de ses moyens. • Faire cesser le discours intérieur négatif. • Remettre ses croyances en question pour entretenir des idées plus réalistes.
3. Croire qu'une situation stressante va se produire. Croire qu'elle sera aussi pénible.	• Modifier son discours intérieur. • Adopter des pensées stimulantes. • Prendre les choses une à une lorsqu'elles se présentent. • Avoir confiance en ses ressources. • Se dire que ce qui est passé est passé. • Se persuader qu'on peut réagir différemment si la situation se produit de nouveau.
4. Se déconnecter du présent. Fuir la réalité. Se projeter dans l'avenir. Appréhender des choses. Ressasser des situations négatives du passé.	• Faire l'expérience du « ici et maintenant » : regarder, écouter ceux qui nous entourent, prendre le temps de vivre dans l'instant présent, car il ne reviendra jamais. • Cesser de vivre dans le passé ou dans le futur.

5. Exagérer des difficultés.	• Relativiser l'importance des enjeux. • Évaluer les conséquences réelles d'un événement appréhendé. • Dédramatiser au lieu de faire une montagne de tout et de rien. • Utiliser l'échelle de la catastrophe pour y voir plus clair (pour plus de détails, voir mon livre *Émotion, quand tu nous tiens !*).
6. Se sentir victime. Donner aux autres le pouvoir de nous susciter des émotions. Projeter sur les autres certaines exigences et des critiques.	• Se réapproprier son pouvoir sur soi. • Se responsabiliser par rapport aux événements, aux émotions.

Notes

Que retenez-vous de la lecture de ce chapitre ? Quelles sont les prises de conscience qui vous inciteront à agir différemment ? Que ferez-vous à l'avenir ?

CHAPITRE 5

Rationaliser le stress : les dix excuses les plus courantes

Vous verrez dans ce chapitre quelles sont les dix raisons sur lesquelles on s'appuie le plus fréquemment pour minimiser l'importance de se responsabiliser devant le stress ressenti.

Il y a des gens qui sont passés maîtres dans l'art de se trouver des excuses pour ne pas agir. Encore là, certains se disent victimes du stress ou croient à tort qu'ils ne peuvent rien faire pour le réduire. Examinons quelques-unes des excuses les plus courantes qui nous empêchent de nous prendre en main devant certains stress.

Cessez de croire que vous ne pouvez rien changer à la situation ; il est en votre pouvoir de décider de vous prendre en main.

STRESSÉ DE NATURE

« Je n'y peux rien, je suis stressé de nature ! » Voilà une des premières raisons invoquées pour justifier son état de stress. En fait, c'est là une absurdité dont vous vous rendrez compte lorsque vous aurez repris la maîtrise de votre vie. Plus vous vous enfermerez dans l'idée que vous ne pouvez rien changer, que c'est dans votre tempérament, plus vous renforcerez cette croyance. Et ce renforcement ne fera qu'entretenir votre stress. Cessez de croire que vous ne pouvez rien changer à la situation ; il est en votre pouvoir de décider de vous prendre en main. Dès lors, vous comprendrez rapidement que vous êtes apte à avoir une influence sur le stress que vous ressentez.

LE STRESS EST BON

Voilà tout un paradoxe ! C'est comme si quelqu'un disait : « C'est bon pour la santé de fumer. » Évidemment, vous aurez compris qu'il existe deux types de stress : le stress positif et le stress négatif. Le stress négatif entraîne des problèmes de sommeil, ainsi qu'une multitude d'autres symptômes déjà évoqués précédemment dans cet ouvrage. Ce stress négatif ne peut en aucun cas vous faire du bien.

Quant au stress positif, il ne s'agit pas de réduire notre stress à zéro, mais bien de déterminer notre niveau de stress optimal. La manière dont quelqu'un s'adapte à une situation stressante dépend de son équilibre général et ne peut donc être dissociée de l'ensemble des éléments de sa personnalité et de sa vie : vie affective, familiale, loisirs, etc.

Chacun a son propre degré de résistance au stress, c'est-à-dire une quantité de stress qu'il peut supporter tout en pouvant continuer à fonctionner harmonieusement.

La courbe individuelle de stress

Voici un schéma qui vous permettra de voir où vous vous situez[5].

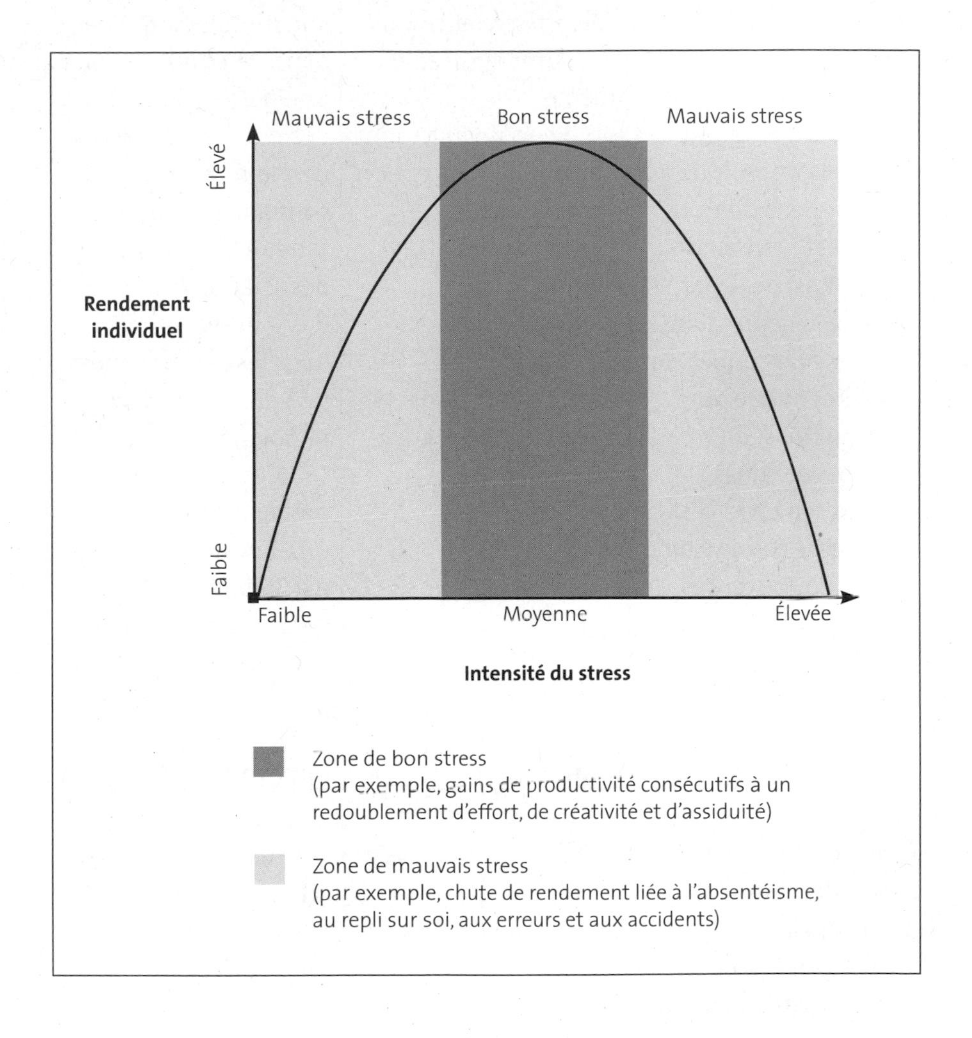

5. Adapté du site www.metamorphoses.be/ressources/stress/niveau_stress.htm.

Au-dessous du seuil optimal	Au seuil optimal	Au-dessus du seuil optimal
L'organisme est sous-stimulé, aussi bien physiquement que mentalement. Cette inactivité se traduit par de la fatigue, de l'ennui, de la démotivation et peut aussi conduire à de l'apathie et à de la dépression… Une personne peut également être au-dessous du seuil optimal de stress quand son travail est trop facile compte tenu de ses compétences.	La personne est motivée, efficace et travaille en harmonie avec elle-même. Elle a un jugement fiable et une perception claire des choses. Elle fait preuve d'une grande souplesse quand elle traverse des changements dans certains aspects de sa vie, par exemple le travail.	L'organisme est sur-stimulé, surmené, dépassé, ce qui entraîne une perte d'objectivité, des erreurs, des pertes de mémoire et de confiance en soi, de la fatigue, de l'irritabilité, des relations difficiles, des indécisions et, dans les cas extrêmes, une dépression, des phobies… Cet état peut mener au *burn-out,* à un état de fatigue et d'irritabilité extrême dans lequel la personne « craque ».

LES RÉSULTATS NE VIENNENT PAS SANS EFFORTS INTENSES

Qui vous impose de travailler si fort ? À mon sens, il vaut mieux travailler intelligemment plutôt que trop longtemps. Cela revient à dire qu'il faut travailler en fonction de ses priorités, se garder du temps pour soi, être capable de déléguer des tâches avec efficacité, et avoir du plaisir dans la vie. Voilà ce que c'est que travailler intelligemment, plutôt que trop longtemps.

Dans *Le millionnaire paresseux*[6], Marc Fisher explique : « Nous avons tendance à penser qu'il y a corrélation directe entre les efforts et les résultats. Que, par exemple, 50 % des heures qu'on travaille nous permettent de nous acquitter de 50 % de nos tâches, que 50 % de nos efforts nous procurent 50 % de nos revenus. »

6. Marc Fisher, *Le millionnaire paresseux*, Montréal, Un monde différent, 2006.

En vérité, selon l'économiste italien Vilfredo Pareto, il y a un déséquilibre entre les causes et les effets. En somme, nous savons maintenant qu'en général 20 % de nos efforts nous rapportent 80 % des résultats que nous obtenons et que, par conséquent, nous avons intérêt à répartir équitablement notre temps et notre énergie entre nos tâches les plus productives, soit les 20 % qui nous rapporteront le plus.

LE STRESS EST NÉCESSAIRE

On sait que le stress produit une montée d'adrénaline. Mais lorsque le stress entraîne des sentiments de crainte et de nervosité, il n'est plus bénéfique. Vous avez tout intérêt à traverser vos journées dans un certain calme. D'autant plus qu'une journée tranquille requiert moins d'énergie. À la fin de votre quart de travail, vous aurez plus d'énergie pour vaquer à vos occupations, pour vous recentrer sur vos priorités, pour faire les choses que vous aimez. Cessons d'entretenir l'idée qu'il est nécessaire d'éprouver un stress à une intensité élevée pour passer à travers nos journées. C'est tout à fait faux. C'est plutôt l'inverse qui se produit : au début, le stress semble vous procurer plus d'énergie, mais c'est une illusion. Après coup, le stress vous aura grugé le peu d'énergie qu'il vous restait, et vous vous retrouverez plus fatigué qu'au départ.

PAS LE TEMPS DE CHANGER

Ce prétexte se passe de commentaires. Il vaut mieux en rire. Il est tellement absurde d'entretenir ce genre d'idées. Pas le temps de changer ? Mais le temps d'être stressé, par exemple ! Cela équivaut à dire : « Je n'ai pas le temps de prendre soin de moi. » Il est toujours possible de prendre du temps, il s'agit simplement d'en décider et de choisir des moments précis, et de les écrire dans son agenda.

C'EST LA FAUTE DES AUTRES, DU SYSTÈME

Voilà exactement le type de discours des gens qui se comportent constamment en victimes. Cessez de vous enfouir la tête dans le sable. Le système ou les autres n'ont rien à voir avec le stress que vous vivez. C'est vous qui décidez d'envisager la réalité sous cet angle. Et c'est également vous qui possédez la capacité de la voir autrement. Cessez de rendre les autres responsables de votre bonheur. Rappelez-vous qu'une seule personne peut en être responsable, et c'est vous. Ainsi, vous retrouvez votre pouvoir personnel.

SANS STRESS, IMPOSSIBLE DE TRAVAILLER EFFICACEMENT

Cette idée est pour le moins inexacte. Vous auriez plutôt intérêt à faire votre travail du mieux possible et à cesser de vous en faire pour des pacotilles. Vous augmenterez ainsi vos capacités à réagir efficacement et, en effet, vous donnerez le meilleur de vous-même dans votre travail.

PAS DE STRESS EN VACANCES

Si vous croyez que deux semaines de vacances par an, au mieux un mois, suffiront à réduire votre stress, encore une fois vous êtes à côté de la plaque. Vous pouvez quotidiennement cultiver le calme dans votre vie. Et c'est tout à votre avantage, surtout si vous voulez augmenter votre qualité de vie et avoir plus de plaisir. Ainsi, inutile d'attendre les vacances pour prévoir du temps pour vous détendre et pour vous ressourcer.

SANS STRESS, QUEL ENNUI !

Voilà une justification de plus en plus à la mode. Pour avoir du plaisir, il faudrait absolument être continuellement stimulé, excité. Tentez plutôt de faire la distinction entre « avoir du plaisir » et « être stressé ». Il y a toute une différence entre les deux. Contrairement au stress, le plaisir, lui, ne s'accompagne pas d'une multitude de conséquences négatives !

LE STRESS, UN PHÉNOMÈNE DE SOCIÉTÉ

Vous croyez qu'il n'y a rien à faire et que vous ne pouvez rien changer ? Savez-vous que nous sommes plus stressés de nos jours qu'à l'époque où les gens devaient travailler physiquement de longues heures, dans les champs ou en usine ? À cette époque, la maladie guettait tout un chacun, l'espérance de vie était beaucoup plus courte, et c'est pourtant aujourd'hui que nous vivons le plus de stress. Quelle ironie ! Comment a-t-on pu en arriver là ?

Si le stress est malheureusement partout, c'est parce que nous le considérons comme une réalité impossible à changer, parce que nous croyons que c'est un phénomène de société. Or nous pouvons transformer cette croyance en tentant individuellement de ne pas nous soumettre à ce rythme de vie effréné. Tout va vite autour de nous, c'est vrai, mais ralentir notre rythme intérieur est déjà un bon début.

EXERCICE DE RÉFLEXION 4

Quelles excuses utilisez-vous dans votre propre vie ? Quelles en sont les conséquences ? Par quelles affirmations auriez-vous intérêt à les remplacer ?

Notes

Que retenez-vous de la lecture de ce chapitre ? Quelles sont les prises de conscience qui vous inciteront à agir différemment ? Que ferez-vous à l'avenir ?

CHAPITRE 6

Qui est exposé au risque de stress extrême ?

On a longtemps dit que tout se jouait avant l'âge de six ans. Vous avez déjà entendu parler de ce livre où on explique que les premières années de la vie d'un enfant sont décisives pour son évolution. Fort heureusement, les spécialistes de l'enfance ne sont plus aussi pessimistes sur le caractère irréversible de ces premières années.

Selon d'autres théories, par exemple les stades du développement psychosocial d'Erik H. Erikson[7], le développement se prolongerait tout au long de la vie. Ainsi, l'individu passerait par différents stades de développement, chacun comptant une crise à traverser, et la résolution du conflit permettrait d'acquérir diverses habiletés, comme la confiance, l'autonomie et l'identité.

Le tout jeune enfant, qui est totalement dépendant de ses parents, développe sa confiance à mesure que ses besoins (abri, nourriture, soin et affection) sont comblés. Ensuite, il développe son autonomie en apprenant à se déplacer par lui-même, en comprenant combien les mots sont importants pour s'affirmer (il apprend à dire non !). Il prend conscience aussi de ce qu'il est capable d'entreprendre, il différencie le bien et le mal.

---

7. Erik H. Erikson, *Adolescence et crise,* Paris, Flammarion, 1988.

Puis, avec les années, il est amené à découvrir ce qu'il est au moment de sa crise d'identité, qui survient à l'adolescence. C'est en effet l'âge où chacun doit adopter ses propres valeurs et préciser ses goûts personnels. L'adolescent aura alors davantage de responsabilités, sera confronté à des choix... Enfin, devenu adulte, il pourra trouver de l'intimité avec un ou une partenaire.

Ainsi, tout au long de sa vie, l'individu se développe, évolue, apprend à mieux se connaître et peut aussi décider de modifier des aspects de lui-même. Il faut toutefois admettre que certains enfants manifestent déjà des signes de stress en bas âge. Il faut croire que certains seraient plus prédisposés que d'autres. Mais une chose est sûre, que l'on ait des prédispositions ou non, nous avons le choix de changer ou d'entretenir nos perceptions des différentes situations que nous traversons comme étant stressantes.

Observons ensemble les types de personnalités susceptibles d'être soumises à un stress extrême.

LA PERSONNE INCAPABLE DE DIRE NON

L'une des caractéristiques fondamentales des personnes soumises à des stress extrêmes, les candidats au *burn-out,* est leur incapacité à dire non. En creusant un peu plus, nous nous apercevons que cette incapacité est souvent liée à un autre sentiment : la peur de ne pas être aimé. Ces personnes ont peur de refuser une demande parce qu'elles prendraient le risque que l'autre cesse de les aimer ou de les apprécier. Elles sont donc souvent motivées par un besoin profond de plaire, d'être appréciées et reconnues. C'est aussi de cette façon que d'autres tentent d'éviter le rejet.

Les individus qui sont incapables de dire non ne sont donc pas à l'écoute de leurs besoins, mais ils sont constamment à l'écoute des besoins des autres, et ils les font passer avant les leurs.

Si une personne de votre entourage décide de ne plus vous fréquenter ou cesse de vous manifester son affection parce que vous lui refusez quelque chose, dites-vous bien que c'est plutôt une bonne nouvelle ! En effet, il vaut mieux savoir qu'une personne rompt sa relation avec vous parce qu'elle n'en tire plus de profits. Quoi que vous fassiez, vous trouverez toujours des gens pour vous apprécier et d'autres qui ne vous aimeront pas, c'est la vie !

De toute façon, il est impossible d'être aimé par tout le monde, et c'est même très risqué. Si vous voulez continuellement faire plaisir aux autres, vous soumettre à leurs quatre volontés, vous en viendrez à vous oublier. Et ce faisant, vous compromettez votre propre bonheur, ce qui se reflétera inévitablement sur votre entourage. C'est un cercle vicieux! Cessons de croire qu'il nous faut absolument accéder aux demandes de tout un chacun pour être aimé. C'est irréaliste!

La capacité de dire non prend tout son sens lorsque vous avez autre chose à faire ou d'autres priorités. Si vous jugez qu'une requête est importante au moment où elle est formulée, mais que vous ne pouvez pas la satisfaire faute de disponibilité, dites-le tout simplement et différez-la. Mais ne repoussez jamais vos priorités en vous disant que vous devez absolument dire oui à tout.

Cessons de croire qu'il nous faut absolument accéder aux demandes de tout un chacun pour être aimé. C'est irréaliste!

L'histoire de Luc

Luc est incapable de dire non. Ses amis font constamment appel à lui pour toutes sortes de services. Qu'ils lui demandent de l'aider pour déménager ou pour réparer quelque chose, Luc se rend toujours disponible. Il dit toujours oui, même s'il avait prévu autre chose, par exemple de passer du temps avec sa conjointe. Si, à la dernière minute, un de ses copains l'appelle pour lui demander quelque chose, Luc est incapable de refuser et met ses propres projets de côté. À force d'agir ainsi, il finit par vivre énormément de frustrations et passe à côté de ce qui est important pour lui.

Lorsqu'on parle de priorités, il faut en revenir à la question: « Qu'est-ce qui est important pour moi? » (Voir aussi la section sur les priorités, chap. 11, p. 141.)

Dès que nous sommes revenus à nos priorités, il est plus facile de refuser une demande. Vous vous dites peut-être: « C'est égoïste d'agir ainsi! » Non, cela n'a rien à voir avec l'égoïsme. Si vous arrivez à vous accorder du temps pour les choses qui sont importantes à vos yeux, vous n'en serez que plus heureux. Et si vous êtes plus heureux, vous rendrez inévitablement les gens autour de vous plus heureux. Il est possible que certaines personnes vous en tiennent rigueur ou soient fâchées de vos refus, mais dites-vous que c'est peut-être une bonne chose. Cela vous permet de vous rendre compte que ces personnes n'étaient peut-être dans votre vie que pour tirer profit de vous. Ces individus sont-ils indispensables dans votre vie ? Non, vous pouvez vous en passer. Par contre, ceux qui vous apprécient, vous aiment vraiment, ne vous tiendront pas rigueur du fait que vous leur refusiez quelque chose. Ils comprendront que vous avez d'autres priorités et que c'est sur elles que vous vous concentrez dans le moment présent.

Si vous avez du mal à dire non, vous vous obligez à passer une bonne partie de votre vie à faire des choses que vous n'avez pas envie de faire, ce qui peut vous mener à la frustration et au ressentiment, et qui peut, de ce fait, avoir des répercussions sur vos relations et votre entourage.

Lorsque nous sommes incapables de dire non, nous avons souvent l'impression d'être manipulés. Dire oui devient alors un facteur de stress qui s'accompagne de problèmes physiques, comme les migraines, les problèmes de digestion, etc.

Réussir à dire non, c'est mettre un frein aux sollicitations pour vous permettre d'augmenter votre degré de confiance et votre estime de soi. Et lorsque vous avez une bonne estime de vous-même, lorsque vous êtes capable de dire non, cela vous permet de croire que votre bonheur ou que l'amour des autres ne dépend pas du fait que vous consentiez à toutes leurs demandes.

Ceux qui ont de la difficulté à dire non évoquent souvent comme prétexte : « Si je refuse de rendre service aux autres, c'est que je suis égoïste. » Faux, totalement faux. Ce sont ces mêmes personnes qui pensent que les autres ont plus de valeur qu'elles, et qu'elles ne peuvent donc rien leur refuser. Elles ont surtout peur de décevoir, peur que les autres leur en veuillent. Elles se disent souvent : « Si les autres ont besoin de moi, c'est que je suis importante à leurs yeux. J'ai donc tout intérêt à satisfaire tous leurs besoins ! » Il y a toutefois un piège à cela : vous perdre de vue et vous oublier !

La difficulté à dire non

La difficulté à dire non repose sur deux phénomènes :

1. On confond la personne et l'objet de sa demande. Le fait de rejeter cette demande ne signifie pas qu'on rejette le demandeur.

2. On sous-estime la capacité de l'autre à accepter notre refus. La plupart des gens accepteront relativement bien qu'on leur dise non, du moment que cela est énoncé avec délicatesse et gentillesse. Tout dépend de la manière dont on s'y prend. Souvent, dire non à quelqu'un peut même être l'occasion d'établir un climat de confiance ou de mettre au clair une situation dans laquelle on se sent mal à l'aise.

Six conseils pour dire non

Voici, en rafale, six petits conseils que je vous invite à mettre en pratique :

1. Dites non, tout de suite, sur-le-champ. À quoi sert-il de tergiverser ? Pourquoi dire : « Peut-être, je vais y penser, je t'en reparle », alors que vous savez pertinemment que cela ne vous intéresse pas et que vous voulez refuser ? Dites-le tout de suite, cela évitera les malentendus ou la possibilité de créer des attentes chez l'autre, pour ensuite le décevoir.
2. Soyez honnête. Vous pouvez recourir à des phrases comme celles-ci : « C'est impossible pour moi de t'aider, c'est impossible pour moi d'accéder à ta demande. » Soyez franc, tout simplement.
3. Soyez concis. Il ne sert à rien d'en « donner plus que le client en demande », si vous me passez l'expression. Soyez bref et direct, sans ajouter de commentaires, et dites que vous ne pouvez accéder à cette demande.
4. Restez courtois. Vous pouvez dire, par exemple : « Non, écoute, je ne peux pas m'occuper de ça, mais j'apprécie que tu aies pensé à moi. Malheureusement, c'est impossible ! »
5. Préparez-vous ! Si dire non est une chose très difficile pour vous, exercez-vous lorsque vous êtes seul. Si c'est possible, faites de la visualisation. Choisissez un moment où vous êtes en pleine possession de vos moyens et où vous vous sentez apte à dire non à l'autre. Dès lors, vous serez plus à l'aise pour refuser une demande.
6. Restez en maîtrise de vos sentiments. Formulez votre refus calmement, sur un ton aimable. Ce n'est pas tant le refus qui risque de blesser l'autre que la façon dont vous l'exprimerez.

Retenez bien ces six conseils et, la prochaine fois que vous serez placé devant le choix de refuser ou d'accepter, mettez-les en application. Vous vous éviterez ainsi bien du stress inutile !

Résumé des six conseils pour dire non plus facilement

1. *Dire non, sur-le-champ.*
2. *Être honnête.*
3. *Être concis.*
4. *Rester courtois.*
5. *Se préparer.*
6. *Garder la maîtrise de ses émotions.*

La méthode du compromis

Le compromis est une autre méthode qui n'est pas sans intérêt. Si votre patron vous demande de terminer une tâche pour 17 h, vous pouvez lui faire une offre de compromis : « Je ne peux pas actuellement, c'est impossible de la terminer avant 17 h, mais je pourrai terminer ce travail demain matin, sans faute. »

D'autres solutions s'offrent à vous. Par exemple, vous pouvez poser une question tout en exprimant votre refus : « Y a-t-il un autre moment où je pourrais terminer ce travail ? Parce que, ce soir, c'est impossible. »

La méthode de la persistance

Lorsque la demande qui vous est faite est insistante, vous pouvez utiliser la méthode de la persistance, qui consiste à réitérer votre refus chaque fois que le demandeur revient à la charge. Faites-le toujours en gardant en tête les conseils exposés précédemment. Dire non plusieurs fois de suite exige de la détermination, mais cela n'exclut pas que cela se fasse de façon courtoise.

Par exemple, votre patron vous demande :

« Peux-tu boucler ce dossier-là pour ce soir ?

— Non, je ne peux pas le terminer ce soir !

— Ah, s'il te plaît, s'il te plaît, il faut absolument que ce soit fini ce soir.

— Non, malheureusement, je ne peux pas le terminer ce soir. »

Répétez continuellement la même phrase chaque fois qu'il vous relance. À force de persister, l'autre se rendra compte qu'il est inutile de continuer à vous solliciter et il abandonnera.

LA PERSONNE SURCHARGÉE

Parmi toutes les personnes exposées à un stress extrême, les plus à risque sont celles qui veulent faire plusieurs choses en même temps et dont l'horaire est excessivement chargé. Vous en connaissez sûrement, si ce n'est pas vous-même ? Comme nous l'avons déjà mentionné, la vie va de plus en plus vite, et nous devons faire plus avec moins de ressources. Bon nombre de personnes ont constamment le sentiment de courir. Le rythme de vie effréné de certains les amène à avoir de plus en plus de stress. Le stress est là pour rester, nous devons en prendre conscience, mais ce n'est pas une fatalité et nous pouvons nous doter d'outils pour y faire face. Et nous avons aussi intérêt à revoir notre emploi du temps afin de l'alléger quelque peu s'il est trop chargé.

L'histoire de Francis

Dès le lever, Francis se précipite sur son journal. Il le parcourt tout en déjeunant, en écoutant les nouvelles à la télévision pour se tenir informé, et parfois même en menant une conversation téléphonique. À l'heure du lunch, Francis mange dans son bureau en continuant à prendre des appels pour abattre plus de travail.

Que peut-il arriver lorsqu'on mène ainsi plusieurs activités simultanément ? Peut-on, en toute logique, se donner à 100 % à sa tâche ?

Il est totalement illusoire de penser qu'on peut donner le maximum de soi en faisant trois ou quatre activités à la fois. Le cas de Francis peut vous sembler exagéré et, pourtant, il y a plus de gens qu'on ne le croit qui courent ainsi plusieurs lièvres à la fois. Ils ont un horaire tellement chargé qu'ils doivent suivre un programme strict du lever au coucher, sans disposer d'une minute libre. Leur vie est structurée de manière qu'ils soient les plus productifs possible.

Ce sont souvent ceux-là qui ont l'impression de toujours courir après leur souffle, qui disent que les journées sont trop courtes, qui n'ont pas le temps de faire tout ce qu'ils veulent et, surtout, qui n'ont pas le temps de prendre du temps pour eux, de faire les choses qu'ils aiment. Leur vie est compartimentée, réglée à la minute près. Même si beaucoup de choses vous passionnent et si vous débordez d'idées, il est important de vous accorder des moments de répit !

LE PERFECTIONNISTE

Le perfectionniste est un adepte du slogan : « Si je veux que les choses soient bien faites, je dois les faire moi-même. » Pour lui, tout doit toujours être parfait. Le perfectionniste n'en accepte pas moins. Le risque pour lui est de devenir prisonnier de ses exigences.

Le Petit Robert définit le perfectionniste comme étant un individu qui recherche l'idéal dans ce qu'il fait, qui fignole à l'excès son travail.

Le perfectionniste ne sait pas quand s'arrêter.

Bref, le perfectionniste ne connaît pas de limites dans ce qu'il fait. Les gens qui sont perfectionnistes à l'excès se trouvent prisonniers de ce trait de caractère qui peut parfois devenir très difficile à supporter, pour eux-mêmes et pour leur entourage.

Alors, je vous pose la question : « Qu'est-ce que la perfection, pour vous ? Est-ce qu'elle appartient à ce monde, ou n'est-ce pas plutôt une question d'opinion[8] ? »

Si vous pensez occuper l'emploi idéal, est-il juste de penser que cet emploi est parfait pour vous, mais qu'il ne le serait pas pour n'importe qui ? Vous aurez bien compris que la perfection est une question de vision et non pas un fait. Ce qui est parfait, pour moi, Stéphanie, peut ne pas l'être du tout pour vous. Cessons de croire que tout doit

---

8. Pour voir la chronique de Stéphanie Milot à ce sujet, présentée à l'émission *Deux filles le matin,* consultez le site Web www.stephaniemilot.com, à la section « Télévision ».

être parfait. C'est complètement irréaliste, impossible à atteindre, et qui mène souvent tout droit à l'épuisement et au *burn-out*.

Les perfectionnistes vont souvent l'être non seulement avec eux-mêmes, mais aussi avec leur entourage, que ce soit leurs collègues ou leur famille. Ils auront une tendance exagérée à se mesurer et à se juger de façon très sévère. Ce comportement les amène à avoir énormément de stress. Ils espèrent constamment que les choses soient faites parfaitement. Ils peuvent même recommencer un travail ou une tâche des dizaines de fois, sous prétexte que ce n'est pas encore parfait. (Voir l'encadré «Résumé des questions à se poser pour surmonter les difficultés», chap. 4, p. 69.)

Le perfectionniste est souvent quelqu'un qui ne s'accorde pas le droit à l'erreur. Je vous pose la question: «Qui n'a jamais commis d'erreurs?» Elle est humaine, dit-on, n'est-ce pas? Peu importe ce que vous ferez, il y aura toujours des moments où vous commettrez de petites fautes. Cela fait partie de la vie. Apprenez plutôt à vous questionner sur ce que ces erreurs vous auront appris.

Retenons donc que nous avons intérêt à cesser de croire que les choses doivent toujours être faites parfaitement, et cessons d'exiger des autres qu'ils agissent de façon parfaite. Il est illusoire de penser qu'on peut y arriver.

L'histoire de Lorraine

Lorraine trouvait son enfant très stressée. Marianne, sa fille de 10 ans, présentait des symptômes liés au stress: elle avait du mal à dormir et des problèmes d'alimentation. La petite s'en faisait beaucoup pour toutes sortes de futilités. À 10 ans seulement! Pourquoi était-elle ainsi?

Lorraine a expliqué qu'elle était très exigeante envers Marianne. Par exemple, lorsque la petite ramenait son bulletin scolaire, si elle n'avait pas des A + partout, Lorraine lui en faisait part: «Ah! ici, tu as eu un A, pourquoi n'as-tu pas eu un A +? Qu'aurais-tu pu faire pour avoir une meilleure note?»

Au lieu de la féliciter et de la récompenser en lui disant: «Tu as bien fait, je te félicite de tes efforts...», Lorraine se concentrait uniquement sur ce que Marianne aurait pu mieux faire, même si le fait d'obtenir un A ou un A + était déjà extraordinaire en soi. Elle exigeait que son enfant atteigne des standards de performance toujours plus élevés.

Marianne en a éprouvé des troubles anxieux, des difficultés à accepter ce qu'elle était, à être fière d'elle. C'était une enfant qui ressentait beaucoup de dévalorisation. Marianne croyait qu'au yeux de sa mère, qui était pourtant bien intentionnée, elle n'était jamais à la hauteur. De son côté, Lorraine était en plein désarroi en constatant que sa fille avait de tels problèmes de stress.

Évidemment, Lorraine agissait de la même façon avec elle-même. C'était une femme de très belle apparence, avec un poids proportionnel à sa taille, mais qui s'obligeait constamment à suivre des régimes et à s'entraîner de façon excessive. Elle avait le souci de la perfection. Elle voulait ressembler aux mannequins qu'elle voyait dans les magazines. En un mot, elle voulait être parfaite.

Pour cesser d'entretenir des exigences de perfection,
nous avons plutôt intérêt à nous dire : « J'aurais pu... »
Reformuler les « J'aurais dû... » en « J'aurais pu... »
nous permet de ressentir beaucoup moins de culpabilité.

À la moindre faiblesse, Lorraine se culpabilisait.

Elle se répétait : « Comment peux-tu agir comme ça ? Comment peux-tu être aussi stupide ? » Il n'est pas surprenant de constater qu'elle avait, elle aussi, un fort sentiment de dévalorisation.

Les perfectionnistes ont souvent recours à des phrases telles que : « J'aurais dû agir de la sorte », « J'aurais dû faire ça », « J'aurais dû terminer ce rapport », « J'aurais dû aider ma mère à faire telle chose... » En réalité, pour cesser d'entretenir des exigences de perfection, nous avons plutôt intérêt à nous dire : « J'aurais pu... » Reformuler les « J'aurais dû... » en « J'aurais pu... » nous permet de ressentir beaucoup moins de culpabilité.

Si vous vous reconnaissez dans ces gens qui veulent toujours être les meilleurs – meilleur mari, meilleur ami, meilleur employé du mois, meilleur athlète, meilleur étudiant –, vous êtes du type perfectionniste. Aussi longtemps que vous êtes le meilleur, tout va bien, vous ne vous sentez pas dévalorisé, mais le jour viendra où vous vous retrouverez face à quelqu'un qui sera meilleur que vous dans votre discipline. Et alors ? Vous avez intérêt à accepter cette situation au lieu de constamment chercher à atteindre ce standard de perfection qui est complètement irréaliste.

Certaines personnes disent : « Tout ce que l'on fait mérite d'être bien fait ! » Pouvez-vous m'expliquer cette assertion ? Qu'est-ce que cela veut dire ? Qui a dit que cela devait être parfait ? De toute façon, qui vous impose que tout ce qui doit être fait soit nécessairement bien fait ? Ne peut-on jamais remettre cet énoncé en question ? Je ne vous dis pas de tourner les coins ronds, mais si le timbre que vous collez sur l'enveloppe est un peu incliné, ce n'est pas si grave que ça. Voilà un exemple futile, direz-vous. Pas du tout. J'ai connu quelqu'un qui se faisait un devoir de coller ses timbres de façon tout à fait symétrique. Quelle perte de temps ! Quel stress inutile ! Et imaginez le reste de sa vie !

Dites-vous bien que, du moment que l'objectif visé est atteint, c'est le principal : peu importe la manière. Nul besoin d'atteindre la perfection.

Le perfectionniste a souvent un besoin impérieux d'être accepté, tout comme celui qui ne peut jamais dire non. Le perfectionniste s'enracine dans ses petites manies. Il essayera d'être parfait pour éviter la critique, éviter les jugements négatifs, de crainte d'être rejeté. Le perfectionniste est en quête d'approbation. Et cela commence très tôt dans sa vie. Il cherchera l'approbation de ses parents, de ses enseignants, il voudra faire les choses parfaitement pour que ses parents l'aiment.

La distinction entre ce que nous faisons et ce que nous sommes n'est pas toujours claire. Les parents ont parfois tendance à valoriser certains actes, parce qu'ils souhaitent ce qu'il y a de mieux pour leur enfant. Mais, de ce fait, ils contribuent malheureusement à ce que celui-ci soit constamment en quête d'approbation. Il ne se croira aimé que s'il agit en conformité avec les attentes de ses parents ou de façon extraordinaire. Il n'est pas utile ni opportun de transmettre ce type de valeurs aux enfants.

Anecdote

À l'École des hautes études commerciales, où j'enseigne depuis plus de six ans, un étudiant m'a demandé de réviser sa note. Ensemble, nous avons examiné son dossier. Il avait eu un A. À l'université, la plus haute note est A +. Cet étudiant demandait une révision à la hausse parce que, selon lui, un simple A signifiait qu'il n'avait pas bien réussi ce cours. Pouvez-vous imaginer cela ? Un A aux HEC équivaut environ à une note de 90 %. Même avec 90 % il n'était pas satisfait ! En discutant plus longuement avec lui, je me suis rendu compte qu'il était issu d'un milieu où l'on valorisait énormément la perfection. La performance était très importante à ses yeux, et il était impensable pour lui de rentrer à la maison seulement avec un A.

Pouvez-vous imaginer la détresse de cet étudiant ? Je me suis aussi aperçue qu'il était à bout de souffle, ce qui n'était guère surprenant. Comment peut-on avoir une performance pareille et être continuellement insatisfait ?

Vous reconnaissez-vous dans ces propos ? Avez-vous constamment l'impression que les choses ne sont pas bien faites, qu'elles n'ont pas encore atteint la perfection ?

Enfermés depuis longtemps dans cette prison intérieure, les perfectionnistes ne savent plus ce qu'est la liberté. Il faut d'abord comprendre les effets nuisibles de notre attitude perfectionniste et en constater ses conséquences réelles sur notre vie.

Voici quelques exemples. Sandrine se rend compte qu'elle ne passe pas de temps de qualité avec son fils : elle est en effet souvent occupée à faire du ménage, car le désordre la dérange. France constate qu'elle se prive du plaisir de sortir avec ses amis et de voir sa famille, car elle consacre un temps infini à réviser encore et encore ses rapports.

Une fois que nous avons pris conscience des frustrations que notre comportement entraîne, nous pouvons accepter graduellement nos imperfections.

Décidez de ne pas faire le ménage dans le moindre recoin, et vous vous rendrez compte à quel point vous êtes plus disposé à recevoir vos invités lorsqu'ils arrivent chez vous. Décidez de ne pas réviser un rapport plus de deux fois avant de le remettre, et vous remarquerez que vous réussirez aussi bien qu'avant.

Exercice de réflexion 5

Pour vous exercer à augmenter votre tolérance à l'imperfection, choisissez une tâche que vous cherchez constamment à accomplir à la perfection. Il peut s'agir de quelque chose que vous recommencez à plusieurs reprises ou au contraire d'une tâche que vous n'arrivez tout simplement pas à commencer.

À présent, notez ce que vous pouvez faire différemment pour réduire l'emprise de vos attitudes perfectionnistes.

____

____

____

____

____

____

Après avoir tenté de changer vos comportements, vous arriverez à retrouver le plaisir, vous serez plus indulgent avec vous-même, vous accepterez davantage vos imperfections, vous vous critiquerez moins, vous diminuerez vos exigences et vous apprendrez ainsi à vous aimer davantage. Quel soulagement que de pouvoir être ironique envers soi-même et de se donner le droit de commettre des erreurs[9] !

Faites le mieux possible, donnez-vous à 100 %, mais ensuite, acceptez le résultat que vous obtenez. Il faut arriver à lâcher prise. Vous n'en serez que plus heureux et, surtout, moins stressé !

LA PERSONNE QUI NE RECONNAÎT PAS SES LIMITES

Le quatrième type de personnes susceptibles de subir un stress extrême correspond à celles qui refusent de reconnaître leurs limites et qui, souvent, vont au-delà de leurs capacités physiques, psychologiques ou intellectuelles.

Une personne qui ne reconnaît pas ses limites a tendance à ne pas être à l'écoute des signes que son corps lui envoie. Elle se laisse donc entraîner dans un tourbillon où elle en fait de plus en plus malgré des signes évidents de fatigue.

Reconnaître nos limites, c'est simplement se rendre compte que nous sommes des êtres humains imparfaits et faillibles. Reconnaître nos limites, c'est comprendre que travailler 15 heures par jour, 7 jours sur 7, pendant un an est complètement fou. Comment pouvons-nous croire que notre corps va tenir le coup ?

---

9. Adapté de Jacinthe Leclerc, « Quand le perfectionnisme devient une prison parfaite... », *Liaison. Le journal de la communauté universitaire,* Université de Sherbrooke, 15 septembre 2005.

Reconnaître nos limites, c'est aussi être conscient que nous avons peut-être besoin de vacances, de ralentir notre rythme de vie, d'apprendre à dire non lorsque nous sommes constamment sollicités par les autres.

Reconnaître nos limites, c'est comprendre que nous avons peut-être intérêt à nous écouter. C'est s'offrir du temps pour soi, se récompenser de ses réussites. C'est être capable de se détendre, de se donner le droit d'être égoïste.

Reconnaître nos limites, c'est prendre du temps pour nous soigner, nous préoccuper de notre santé, et c'est aussi savoir dire non.

Exercice de réflexion 6

Quelles sont mes limites ? Dans quelles circonstances ai-je dépassé mes limites au point de vivre énormément de stress ? Quelles en ont été les répercussions ?

___

___

___

Comment puis-je reconnaître que j'atteins mes limites ?

___

___

___

Que puis-je faire dès maintenant pour me fixer des limites qui me conviennent ?

___

___

___

LES PERSONNALITÉS DE TYPE A ET DE TYPE B

Dans les prochaines pages, nous verrons qu'il existe deux types de personnalités : les personnalités de type A et celles de type B. Vous trouverez un test qui vous permettra de déterminer à quel type vous appartenez. Pour commencer, voyons le cas de Lucie, qui a une personnalité de type A.

La personnalité de type A

Voici une journée typique dans la vie de Lucie. Dès le lever, Lucie est toujours très pressée. Mais elle manque d'organisation. Elle n'a jamais le temps de déjeuner. Elle avale un café à toute vitesse et saute dans sa voiture pour se rendre au travail. Dès qu'elle arrive au bureau, elle se met immédiatement au travail. Toutefois, il lui arrive souvent de se laisser distraire dans la journée, et elle accumule les tâches.

Lorsqu'elle doit animer des réunions, elle se prépare à la dernière minute et elle doit fréquemment improviser. Lorsque le temps du dîner arrive, elle avale une soupe, sur le coin de son bureau. Elle n'arrive jamais à prendre le temps de manger avec ses collègues, parce qu'elle est toujours pressée.

Évidemment, ses relations avec ses collègues de travail s'en ressentent. On la dit impatiente, et elle doit souvent déléguer des tâches à la dernière minute. Elle est intransigeante et peut même se montrer injuste envers ses collaborateurs. Et elle a aussi beaucoup de difficultés à être à l'écoute des autres.

À la fin de sa journée, souvent très tard, vers 20 h, elle rentre à la maison avec du travail. De ce fait, elle a très peu de temps pour son conjoint et ses enfants. Résultat : Lucie est complètement vidée, au bout du rouleau, et également désillusionnée.

La journée de Lucie ressemble en tout point à celle d'une personnalité de type A. Ces personnes vivent énormément de stress, en grande partie à cause de leur mode de vie, de leurs habitudes, de leur façon de voir la vie. Elles sont continuellement dans l'urgence.

La personnalité de type B

Maintenant que nous avons vu ce qui caractérise les personnalités de type A, vous vous demandez certainement à quoi correspondent les personnalités de type B. Pour dire les choses simplement, elles se caractérisent par l'absence des traits de caractère communs aux personnalités de type A. Autrement dit, alors que les personnalités de type A ont besoin d'une dose élevée de stress pour être efficaces, celles de type B ont besoin d'être dans un environnement peu stressant pour mener leurs tâches à bien.

Les personnalités de type B sont plus calmes et de nature plutôt posée que les personnalités de type A. Elles ont tendance à consacrer beaucoup de temps aux autres et à elles-mêmes. Elles prennent davantage la vie du bon côté, ont souvent la capacité de lâcher prise et vivent beaucoup d'acceptation au quotidien.

Comme vous l'aurez compris, les personnalités de type B sont beaucoup moins sujettes au stress. Mais cela ne signifie pas qu'elles n'en subissent aucun. Sans généraliser, leurs traits de caractère les portent parfois à ne pas vouloir déranger et à chercher à passer inaperçues. Si vous êtes une personnalité de type B, vous pourriez donc avoir un certain stress découlant de votre difficulté à vous imposer et à faire valoir vos points de vue.

Êtes-vous une personnalité de type A ou B[10] ?

Deux cardiologues, les Dr Friedman et Rosenman, ont créé un outil permettant d'évaluer les risques cardiaques chez leurs patients. Ils ont ainsi pris conscience que la majorité d'entre eux avaient des traits de caractère communs. De cette constatation est né un test grâce auquel nous pouvons déterminer notre type de personnalité. Voici une version simplifiée de ce test. Afin de savoir quel est votre type de personnalité, répondez aux questions suivantes en cochant oui ou non.

Êtes-vous une personnalité de type A ou B ?	**Oui**	**Non**
1. Avez-vous tendance à manger trop vite ?		
2. Faites-vous souvent plusieurs choses à la fois... comme lire en mangeant ?		
3. Êtes-vous toujours un peu en avance à vos rendez-vous ou, du moins, toujours à temps ?		
4. Trouvez-vous que la concurrence est agréable et stimulante, tant au travail que dans votre vie personnelle ?		
5. Vous sentez-vous comme quelqu'un de toujours occupé ?		
6. Est-ce que le fait de toujours gagner est important pour vous, même dans vos loisirs entre amis ?		

10. Adapté d'André Gareau, *Les gens épanouis... réussissent mieux,* Montréal, Éditions Quebecor, 2003.

7. Avez-vous de la difficulté à décompresser après une journée de travail ?		
8. Avez-vous tendance à remettre en question les idées des autres ?		
9. Apportez-vous du travail à la maison régulièrement ?		
10. Est-il difficile pour vous de déléguer ?		
11. Préférez-vous faire les choses vous-même, parce que c'est plus simple et plus rapide ?		
12. Croyez-vous que le nombre d'heures de travail que vous effectuez est une condition de réussite ?		
13. Laissez-vous votre téléphone cellulaire allumé, même durant vos repas ?		
14. Avez-vous tendance à accumuler des vacances et ne pas les prendre ?		
15. Avez-vous de la difficulté à accepter que les autres ne prennent pas leur travail au sérieux ?		
16. Quand vous ressentez du stress, faites-vous immédiatement quelque chose pour y remédier ?		
17. Quand quelqu'un parle trop longtemps avant d'en arriver au sujet, vous arrive-t-il souvent de parler à sa place ?		
18. Vous sentez-vous irrité si quelqu'un vous interrompt pendant que vous faites quelque chose d'important ?		
19. Vous sentez-vous impatient si vous devez faire la file au restaurant ?		
20. Vous considérez-vous comme un compétiteur-né ?		
21. Avez-vous tendance à vous irriter facilement ?		
22. Croyez-vous que vous avez plus d'énergie que bien des gens autour de vous ?		
23. Avez-vous de la difficulté à vous faire aider ?		
24. Avez-vous souvent l'impression que vous manquez de temps ?		
25. Utilisez-vous souvent des échéanciers dans différents aspects de votre vie ?		
26. Vous arrive-t-il de sauter un repas parce que vous êtes trop occupé ?		

27. Croyez-vous au dicton : « On n'est jamais mieux servi que par soi-même » ?		
28. Vous paraît-il important d'être le premier dans votre domaine pour être satisfait de vous-même ?		
29. Avez-vous déjà cumulé plusieurs emplois ou fonctions ?		
30. Pensez-vous souvent à votre travail, même en dehors des heures de travail ou lorsque vous êtes en congé ?		

Résultat : Si vous avez répondu oui à 20 questions ou plus, vous êtes fort probablement de type A.

AMÉLIOREZ VOTRE VIE SELON VOTRE TYPE DE PERSONNALITÉ

Conseils pour les personnalités de type A

Conseil 1 : Évitez d'en faire trop

Arrêtez de prendre toujours plus de responsabilités et de vouloir tout faire. Je sais que vous aimez l'adrénaline que cette débauche d'activités vous procure, mais elle a aussi ses inconvénients : vous vous imposez un stress inutile.

Conseil 2 : Apprenez à déléguer

Vous vous dites certainement : « Oui, mais moi, j'aime mieux le faire moi-même, je sais qu'ainsi ce sera bien fait. Et déléguer me prendra de toute façon plus de temps. Il va falloir que je montre à l'autre comment faire, alors autant le faire moi-même. »

Évidemment, si vous avez de la difficulté à déléguer, vous ne pourrez jamais croire que le travail sera aussi bien fait par les autres que par vous. Dites-vous que, si quelqu'un de votre entourage, dans votre vie professionnelle ou personnelle, peut réaliser une tâche à laquelle vous consacrez habituellement du temps, et peut la faire aussi bien que vous, ou ne serait-ce qu'à 70 % aussi bien, il est dans votre intérêt de déléguer.

Ici s'applique le principe du 80-20 dont j'ai parlé précédemment. Il s'agit de la loi de Pareto, selon laquelle 20 % des activités rapportent 80 % du chiffre d'affaires ou des profits. Il en va de même dans notre vie personnelle. Déterminez vos priorités en vous demandant: « Quels sont mes objectifs ? » (Voir la section sur les priorités, chap. 11, p. 141.)

Une fois que ces objectifs seront établis, vous serez en mesure de déterminer ce que vous pouvez déléguer. Nous verrons plus loin comment s'y prendre.

À partir du moment où vous avez bien défini vos priorités parmi vos objectifs, vous avez intérêt à déléguer tout le reste, c'est-à-dire tout ce qui ne constitue pas une priorité pour vous. Au quotidien, il y a probablement une multitude de tâches que vous pouvez confier à d'autres. Dressez dès maintenant la liste de toutes les tâches que vous accomplissez dans une journée, que ce soit à la maison, avant de partir, puis au travail et, enfin, le soir, lorsque vous revenez.

Y a-t-il des tâches que vous devez faire absolument ? Y en a-t-il d'autres que vous pouvez déléguer[11], par exemple à d'autres membres de la famille ? Qu'est-ce qui vous oblige à faire les lunchs pour toute la famille ? Pourquoi ne serait-ce pas une activité de groupe ? Pourquoi chacun ne le ferait-il pas à tour de rôle ? Au fond, pourquoi cette tâche devrait-elle vous incomber entièrement ?

Conseil 3 : Apprenez à vous organiser

Avoir le sens de l'organisation ne va pas de soi: ça s'acquiert. Beaucoup de gens disent avoir de la difficulté à organiser leurs activités. Personne ne naît avec le sens de l'organisation, mais la bonne nouvelle est que chacun d'entre nous peut apprendre s'il s'en donne la peine.

Essayez le plus possible de prévoir ce qui peut être prévu. Beaucoup de choses sont en effet prévisibles, que ce soit dans votre vie personnelle ou dans votre vie professionnelle.

Par exemple, si vous avez décidé de déléguer une fois par semaine la préparation du lunch à votre conjoint ou à vos enfants, profitez de la fin de semaine pour faire un calendrier où vous inscrirez les tâches de chacun.

Pourquoi ne pas prévoir de telles choses ? En les prévoyant, vous réduirez votre stress. Cela vous demandera peut-être de réorganiser

---

11. Pour voir la chronique de Stéphanie Milot à ce sujet présentée à l'émission *Salut, Bonjour!* consultez le site Web www.stephaniemilot.com, à la section « Télévision ».

un peu votre vie, mais ça vaut la peine d'essayer. Vous verrez les résultats. En un mot, arrêtez de porter le poids du monde sur vos épaules.

Prévoir ce qui est prévisible ne signifie pas que vous devez absolument tout voir venir d'avance. Ce serait illusoire. Mieux vous vous organiserez, plus vous allégerez votre stress, tout en prenant conscience qu'il y a aussi certains événements qui sont imprévisibles. Et pour ces impondérables, inutile de vous acharner : il faut être capable de « *surfer* sur la vague », de vous laisser porter.

Conseil 4 : Détendez-vous

La détente, il n'y a rien de tel pour vous aider à améliorer votre vie. Accordez-vous le droit de vous détendre. Cela ne signifie pas forcément de faire du yoga ou de la méditation transcendantale. Pour certaines personnes, se détendre peut tout simplement dire de prendre le temps de regarder un bon film, d'aller faire une balade, de faire de la lecture, et même d'aller magasiner, si cela vous détend ! La détente, c'est consacrer du temps à une activité que nous aimons, qui nous plaît. Plus vous prendrez de temps pour vous, pour faire des activités qui vous passionnent ou qui vous apportent de la satisfaction, mieux vous vous sentirez. Vous serez alors plus réceptif à votre entourage et davantage en mesure de lui accorder du temps de qualité.

Conseils pour les personnalités de type B

Si les personnalités de type B sont moins exposées au stress, il est cependant possible qu'elles en ressentent également.

Conseil 1 : Fixez-vous des objectifs

Prendre la vie du bon côté, savoir lâcher prise et accepter les choses au quotidien, « voilà l'idéal », vous direz-vous. Les personnalités de type B ont cependant intérêt à apprendre à se fixer des objectifs afin de concrétiser leurs désirs. Nous verrons un peu plus loin comment s'y prendre pour arriver à ses fins et donner un sens à sa vie.

Conseil 2 : Déléguez efficacement

Cela revient à dire qu'il faut se départir de toutes les tâches qui ne mènent pas au but que nous nous sommes fixé, qui ne contribuent pas à la réalisation de nos objectifs.

En effet, que nous soyons de type A ou B, certaines tâches sont parfois inutiles et vont même à l'encontre de nos objectifs. Résultat : nous perdons un temps fou à les exécuter. (Voir aussi la section sur la mission, chap. 10, p. 127.)

Conseil 3 : Affirmez-vous

Sachez vous imposer. Il est important pour les personnalités de type B de prendre conscience qu'il est dans leur intérêt de s'affirmer, de préciser leurs besoins et de formuler ce qui est important pour elles. Dès lors, elles seront mieux dans leur peau et ressentiront moins de stress.

Conseil 4 : Soyez efficace

À l'occasion, notamment au travail, on peut parfois reprocher aux personnalités de type B de ne pas être très efficaces. Il ne s'agit pas de basculer dans l'extrême inverse, de changer sa personnalité pour devenir une personnalité de type A !

Être efficace, c'est être centré sur la tâche que nous devons accomplir. S'il est important de faire des pauses, de prendre du temps pour soi, d'être à l'écoute de ses collègues de travail, il l'est tout autant d'exécuter efficacement le travail qu'on nous demande, de satisfaire les attentes des autres envers nous.

Vous l'aurez compris, tout est une question d'équilibre. Une personnalité strictement de type A peut présenter des aspects extrêmement négatifs. Une personnalité strictement de type B peut aussi présenter certains travers. Il s'agit d'arriver à établir un équilibre entre ces deux types de personnalités, qui vous permettra de bien doser votre énergie, tout en étant capable de vous donner du temps quand c'est nécessaire.

Rien n'est facile, mais c'est possible, pourvu que vous y travailliez un peu ! Au fil des pages, vous trouverez des outils qui vous aideront à équilibrer votre personnalité selon les circonstances.

Résumé des conseils en deux colonnes	
Conseils pour les personnalités de type A	**Conseils pour les personnalités de type B**
1. Évitez d'en faire trop. 2. Apprenez à déléguer. 3. Apprenez à vous organiser. 4. Détendez-vous.	1. Fixez-vous des objectifs. 2. Déléguez efficacement. 3. Affirmez-vous. 4. Soyez efficace.

Notes

Que retenez-vous de la lecture de ce chapitre ? Quelles sont les prises de conscience qui vous inciteront à agir différemment ? Que ferez-vous à l'avenir ?

CHAPITRE 7

Les idées irréalistes qui nourrissent le stress

La plupart du temps, les gens qui ressentent beaucoup de stress entretiennent des croyances tout à fait irrationnelles. Comme nous l'avons vu au chapitre 3, ce qui cause du stress, ce sont plus les idées que nous entretenons à propos d'une situation que la situation elle-même. Il est important de préciser que ces idées sont constituées de valeurs, de convictions, de préjugés, de scénarios et de croyances.

CROYANCES, IMPÉRATIFS ET CONVICTIONS

Une croyance est une idée que nous tenons pour acquise et que nous ne remettons jamais en question.

Une croyance est une idée que nous tenons pour acquise et que nous ne remettons jamais en question.

Certaines croyances sont irrationnelles et vont à l'encontre de ce qu'il serait approprié de croire, et elles peuvent même se révéler extrêmement nuisibles si nous continuons de les entretenir.

S'il existe de telles croyances, il existe aussi des croyances rationnelles ou réalistes. Par exemple, il est irréaliste, voire irrationnel, de croire que nous pouvons vivre éternellement. La réalité est que nous allons tous mourir un jour et que cela fait partie intégrante de la vie. Une croyance irrationnelle peut être définie comme suit: « Toute croyance que l'on peut qualifier de fausse ou de douteuse. »

Voici quelques exemples de croyances irrationnelles: « Je dois absolument être parfait », « Il faut que tout le monde m'aime ». Tant et aussi longtemps que nous entretenons de telles croyances, nous nous faisons du mal parce qu'il est impossible d'être aimé par tout le monde, vous en conviendrez ! D'ailleurs, vous-même, est-ce que vous aimez tout le monde ? D'autre part, la perfection n'existe pas non plus. Il est donc totalement irréaliste de croire que nous pouvons l'atteindre.

Il s'agit de remettre en question nos croyances irrationnelles. Voici quelques questions qui vous aideront à mieux les cerner: « Qui a dit ça ? Est-ce vrai que je dois absolument être parfait ? Tout le monde doit-il m'aimer ? » (Voir la section sur les perfectionnistes, chap. 6, p. 88.)

En quoi cette croyance peut-elle me nuire si je continue à l'entretenir ? Le but de ces interrogations est de remettre en question ces croyances qui viennent tout droit de notre enfance, de notre éducation, et que nous avons adoptées sans les contester.

Outre les croyances, il existe également les impératifs, qu'on appelle aussi les exigences absolues. Il est aisé de les reconnaître. Ce sont toutes ces phrases qui commencent par « Il faut que... » ou « Je dois... ». Les impératifs peuvent être très divers, par exemple: « Il faut que je prenne soin de grand-mère », « Je dois faire le ménage le vendredi », « Il faut que je sois toujours poli... ». De tels énoncés sont souvent une source de stress, car ils nous imposent des obligations. Et si nous ne les respectons pas, nous nous trouvons inaptes, incorrects, et nous pouvons donc en ressentir du stress.

Les impératifs sont donc ce que nous pensons devoir faire à tout prix. Malheureusement, ils se transforment souvent en obsession. Par exemple, nous pouvons croire que nous devons absolument obtenir une promotion pour être reconnus par nos collègues de travail. Nous pouvons aussi croire qu'il faut impérieusement être une bonne épouse en tout temps et être disponible pour son mari et ses enfants, faute de quoi la vie de couple ne sera pas réussie.

En résumé, les impératifs ou les exigences absolues sont des conditions que nous nous sommes fixées nous-mêmes. (Voir la section sur les « Pourquoi faut-il absolument que... », chap. 4, p. 58.) Si nous ne les remplissons pas, nous sommes malheureux, insatisfaits, et nous nous mettons en état de stress inutilement !

Enfin, il y a les convictions. Elles sont ancrées en nous beaucoup plus profondément que les croyances, et sont également beaucoup plus fortes, car elles reposent sur des expériences vécues. Une personne qui a des convictions a des preuves de ce qu'elle croit et de ce qu'elle avance. Malheureusement, ces convictions ne sont pas toujours appropriées.

Voici un exemple de conviction : « J'ai la conviction que je dois absolument passer beaucoup de temps avec mon conjoint pour que notre vie de couple soit réussie. Et cette conviction me vient de mes parents. En les regardant agir, j'ai constaté qu'ils avaient une vie de couple harmonieuse parce qu'ils passaient tout leur temps ensemble. »

Nous nous créons ainsi des convictions fondées sur l'expérience des autres. Mais elles ne doivent pas forcément être prises pour de l'argent comptant. La « vérité » des autres n'est pas nécessairement la vôtre. Ainsi, ce n'est pas parce que vos parents ont été heureux en vivant très près l'un de l'autre que ce sera la même chose dans votre couple. Une telle proximité avec votre conjoint ne garantit pas nécessairement le succès de votre couple. Les convictions doivent également être remises en question : « Dois-je vraiment agir comme ça ? Dois-je nécessairement passer beaucoup de temps avec mon conjoint ? »

Nous avons intérêt à remettre en question nos croyances irrationnelles, nos impératifs, nos exigences absolues et nos convictions.

Parmi mes connaissances, y a-t-il des couples qui ne passent pas tout leur temps ensemble et qui sont quand même heureux ?

Il faut chercher les preuves du contraire de nos convictions, trouver d'autres modèles qui peuvent être très appropriés et qui sont aussi efficaces. Nous avons intérêt à remettre en question nos croyances irrationnelles, nos impératifs, nos exigences absolues et nos convictions.

QUELQUES IDÉES IRRÉALISTES QUI NOURRISSENT LE STRESS

Voici une liste d'exemples de différentes idées irréalistes que nous pouvons accepter et qui font assurément naître le stress. Il sera donc approprié de les remettre en question!

Tout le monde doit avoir une bonne opinion de moi

Cette idée renvoie à l'image que les autres se font de nous, à l'image sociale. Comme nous l'avons déjà vu, il est totalement irréaliste de penser: « Je dois être aimé par tout le monde et en tout temps. » Vous aurez compris qu'il est impossible que tout le monde ait une bonne opinion de vous.

Mieux vaut comprendre que tous les goûts sont dans la nature et que, selon les préférences de chacun, certaines personnes auront en effet une bonne opinion de vous, tandis qu'elle sera moins bonne pour d'autres.

Quoi que vous fassiez, vous trouverez toujours quelqu'un pour vous admirer, mais il y aura aussi en même temps quelqu'un pour vous critiquer. Si cette personne ne formule pas ses reproches, elle n'en pensera pas moins. Avez-vous le pouvoir de contrôler la pensée des gens qui vous entourent? Non!

Retenez que, pour le même comportement, certains vous aduleront et d'autres vous condamneront. Nous ne pouvons pas plaire à tout le monde. Croire que tout le monde doit avoir une bonne opinion de soi nous impose un stress excessif, tout simplement parce qu'il n'est pas en notre pouvoir d'agir de façon telle que nous plaisions à tout le monde. La vie est ainsi faite!

Les personnes qui croient à cette idée irréaliste tenteront d'agir différemment avec les uns et les autres, parce qu'elles pensent qu'elles pourront ainsi plaire à tout le monde. Le risque pour ces personnes est de s'oublier et de se perdre de vue. Au lieu d'agir selon leurs convictions et leurs valeurs, elles vont agir en fonction des autres pour être aimées en tout temps. Elles agissent alors comme des marionnettes! C'est complètement vain. Cessons d'entretenir cette idée: elle nous éloigne de ce que nous sommes réellement.

Mes désirs sont des ordres

Encore une fois, est-il réaliste de penser que la vie peut toujours se dérouler à la mesure de tous nos désirs ? Nous ne pouvons pas avoir la maîtrise de toutes les situations usuelles de la vie : voilà une certitude que nous avons intérêt à accepter.

Tant et aussi longtemps que nous croyons que le monde doit se conformer à nos désirs, nous nous exposons à des frustrations et à beaucoup de déceptions, parce qu'il y aura toujours des événements qui échapperont à notre contrôle. La vie ne se déroulera jamais toujours selon nos désirs et, si nous n'en prenons pas conscience, cela nous causera beaucoup de stress inutile. Nous ferons inévitablement face à des situations imprévues, parfois fâcheuses, et nous avons tout intérêt à l'accepter ou, du moins, à augmenter notre tolérance !

Les autres doivent être justes

Nous ressentons souvent de la frustration et du stress lorsque nous sommes témoins d'injustices et d'iniquités qui règnent en ce monde. Par exemple, une mère de famille parle sur un ton parfaitement inapproprié à ses enfants. En assistant à un événement de ce genre, une personne qui croit que tous doivent être traités avec respect et de façon équitable pourrait en ressentir du stress et de la frustration.

Il est certes souhaitable que chacun traite autrui de façon respectable, mais ce n'est malheureusement pas la réalité. Lâchez prise devant les choses sur lesquelles vous n'avez aucun pouvoir. Cela ne revient pas à dire qu'il faut se déresponsabiliser face à une situation inacceptable, qu'il ne faut pas intervenir… Mais si vous vous rendez compte qu'il y aura toujours des injustices, qu'il y aura toujours quelqu'un pour agir de façon incorrecte envers les autres, que cela fait partie de la vie, cela diminuera une grande part de votre stress.

Souvent, votre pouvoir est vain devant les injustices. Toutefois, si vous pouvez intervenir, tant mieux ! Mais si vous ne pouvez rien faire pour améliorer la situation, vous avez tout intérêt à vous y résoudre. Exiger des autres qu'ils se traitent avec respect et de façon juste amène à ressentir beaucoup de frustrations et de stress, puisqu'il s'agit d'un désir irréaliste.

Je dois être compétent et réussir

« Je dois être compétent et réussir de grandes choses, sinon ma vie n'aura pas de sens. » J'attire votre attention sur l'expression « réussir de grandes choses ». Que cela signifie-t-il pour vous ?

____

____

____

____

____

____

____

« Réussir » a un sens différent d'une personne à l'autre. Que signifie « réussir une grande chose » ? Élever un enfant ? Accéder à un poste supérieur dans une entreprise ? Être à l'écoute des gens que nous aimons ? Réussir de grandes choses est une notion très relative. L'impératif que nous nous imposons de réaliser des choses extraordinaires aux yeux de tous est utopique. Et croire que la vie n'a de sens que si cette réalisation se matérialise dans les faits est tout à fait illusoire. Aussi longtemps que cette idée nous habitera, nous nous condamnerons à ce que la vie n'ait pas de sens !

Cécilia dit souvent : « L'un de mes plus grands plaisirs dans la vie, c'est quand, au lever, je vois mon enfant qui me sourit. Je sais alors que j'ai contribué à faire quelque chose dans la société. J'ai mis au monde un enfant. »

Revenons à la question de base : « Que puis-je faire de ma vie pour sentir que je me réalise ? »

____

____

____

____

____

____

____

En construisant sa fameuse pyramide des besoins de l'être humain[12], Abraham Maslow avait placé au sommet le besoin de la réalisation de soi. Oui, la réalisation de soi est fort importante, mais n'oublions jamais qu'elle passe souvent par de petites choses, apparemment peu importantes, mais qui amènent notre vie à prendre le sens que nous voulons lui donner.

Je ne peux pas y arriver seul

Pour certains, le fondement du stress est leur dépendance vis-à-vis des autres: « J'ai absolument besoin du soutien de quelqu'un de plus solide que moi. » Cette croyance suscite inévitablement beaucoup de stress. Aussi longtemps que nous avons une épaule charitable sur laquelle nous appuyer, les choses se passent bien, mais le jour où cette épaule n'est malheureusement plus là, cette absence entraîne énormément de stress.

N'oublions jamais que nous sommes tous autosuffisants ! Avoir quelqu'un sur qui s'appuyer, quelqu'un sur qui compter, c'est bien. Mais, attention, ce n'est pas une condition *sine qua non*. Croire que nous avons absolument besoin de l'autre pour que notre vie aille bien, c'est irréaliste et cela peut créer énormément de stress. Tôt ou tard, il y aura toujours un moment où vous serez confronté à l'absence de soutien. Lorsque cela arrivera, que ferez-vous pour vous en sortir seul ?

Il vaut mieux se dire : « J'apprécie le soutien des autres, mais je peux certainement m'en passer et me débrouiller seul. J'ai des ressources intérieures pour faire face à n'importe quelle difficulté. » En abordant les choses ainsi, vous serez plus réaliste et davantage susceptible de vous aider vous-même !

Le cerveau est ainsi fait que plus vous entretenez des idées négatives ou irréalistes, plus vous y croyez. Vous devenez alors sous l'emprise de ces pensées. Mais l'inverse est également vrai.

Vous pouvez cultiver des idées plus positives, telles que : « J'apprécie le soutien des autres, mais je sais très bien que je possède toutes les ressources pour trouver des solutions à n'importe quel

12. La pyramide des besoins est une théorie élaborée dans les années 1940 par le psychologue Abraham Maslow à partir de ses observations sur la motivation.

problème. » Lorsque de telles idées sont bien ancrées en vous, vous vous mettez en état d'affronter n'importe quelle situation, car vous pourrez alors puiser en vous des forces qui vous permettront de trouver les réponses que vous cherchez. En d'autres termes, vous vous êtes conditionné.

C'est la faute du passé

Beaucoup de gens entretiennent l'idée que leur passé conditionne leur présent. Les personnes qui ont été marquées par des traumatismes au cours de leur enfance sont les plus susceptibles de tenir ce genre de discours. Une personne qui a vécu des événements terribles pendant sa petite enfance peut y voir la seule cause de la vie misérable qu'elle mène une fois parvenue à l'âge adulte. Encore une fois, il n'y a pas de fatalité. Cette idée est totalement fausse.

Notre société foisonne d'exemples de personnes qui ont vécu des choses très difficiles durant leur enfance, leur adolescence et même à l'âge adulte, mais qui s'en sont sorties avec brio. Elles ont réussi à puiser en elles les ressources nécessaires pour vivre une vie heureuse, et ce, malgré les malheurs qui les ont frappées.

Tant que nous nous sentons victimes, que nous accusons le passé de nos maux présents, il n'y a aucun moyen d'avancer. La vie est une succession de petits événements heureux et malheureux. Pourquoi justifier sa vie présente en rejetant la faute sur ses malheurs de jeunesse ? Ce genre d'idées nocives ne peuvent qu'entretenir et augmenter le stress. En ce qui concerne notre passé, la chose la plus utile que nous puissions faire, c'est de le regarder à partir de notre présent, avec détachement et maturité, et d'utiliser nos réflexions et nos prises de conscience pour améliorer notre futur !

C'est la faute des événements

« Je n'ai aucun pouvoir sur mes émotions, car elles sont provoquées par des événements qui m'échappent. » Faux, archifaux ! Les événements ne sont pas la cause de nos émotions, c'est l'interprétation que nous en faisons, et celle des relations avec les personnes que nous côtoyons, qui nous fait ressentir diverses émotions à des intensités diverses. (Voir la section sur la perception, chap. 3, p. 46.)

Les situations qui nous sont extérieures n'ont pas le pouvoir de susciter en nous des émotions désagréables. En revanche, nous avons tous un pouvoir sur notre détresse émotive.

Je suis responsable des autres

Cette idée renvoie à une affectivité exacerbée. Elle peut s'exprimer par des phrases telles que: « Je dois absolument me sentir préoccupé par les problèmes des autres. » Voilà une perception qui vient directement de notre éducation. On nous a dit et répété qu'il fallait prendre soin des autres, faire preuve d'altruisme, être bon envers son prochain.

Attention, je ne dis pas qu'il ne faut pas s'occuper des autres. Mais si nous nous en faisons continuellement pour tout le monde, nous nous mettons énormément de poids sur les épaules.

Cessons de croire que nous sommes responsables du bonheur des autres.

Chacun a la responsabilité de faire face à ses propres problèmes. Cessons de croire que nous sommes responsables du bonheur des autres. Il ne nous appartient pas de régler les problèmes des autres à leur place. Lorsque nous prenons en charge les leurs, nous n'aidons pas ces personnes à développer ce qu'on appelle la résilience, c'est-à-dire leur capacité à rebondir après avoir traversé des difficultés.

Soyons à l'écoute des gens que nous aimons, soyons là pour les soutenir, mais cessons de prendre sur nous la tâche de résoudre leurs problèmes à leur place. Cessons de ressasser des idées négatives devant les problèmes des autres. Paradoxalement, cela nous draine énormément d'énergie et diminue notre capacité à les épauler dans les épreuves qu'ils traversent. (Voir la section sur la résilience, chap. 4, p. 68.)

Notes

Que retenez-vous de la lecture de ce chapitre ? Quelles sont les prises de conscience qui vous inciteront à agir différemment ? Que ferez-vous à l'avenir ?

CHAPITRE 8

Comment réduire votre stress

Dans ce chapitre, nous allons envisager plusieurs moyens concrets et utiles qui vous permettront d'agir efficacement contre le stress. Notez déjà que, dans le chapitre suivant, nous irons plus avant en vous proposant un plan d'action en quatre étapes. Pour l'instant, voici six façons de faire passer votre stress à une intensité moins élevée.

La vie amène inévitablement des occasions de ressentir du stress, de façon plus ou moins importante, et ce, de la petite enfance à l'âge le plus avancé. Que faire quand ces circonstances surviennent ? Les outils présentés ci-après constituent en quelque sorte une trousse de premiers secours à laquelle vous pourrez recourir lorsque des agents stressants se manifesteront. Ces outils auront un effet tampon qui en diminuera les effets néfastes.

PRENEZ SOIN DE VOTRE SANTÉ

Le fait d'être en bonne santé physique, de nous entraîner, de bien nous nourrir, de dormir suffisamment, de bien nous hydrater (boire beaucoup d'eau), de prendre soin de nous permet de mieux réagir au stress lorsqu'il survient.

Comme vous le savez, les événements stressants nous demandent une grande énergie. Être en bonne santé physique nous aide à modérer le stress. Une bonne santé nous donne une plus grande résistance.

AUGMENTEZ VOTRE EFFICACITÉ

Quand survient une situation ou un événement qui pourrait nous amener à être stressé, il est important d'être persuadé que nous possédons en nous les ressources pour nous en sortir et pour trouver des solutions, car cela nous permettra de moins ressentir de pression.

Si nous croyons que nous pouvons être efficaces, que nous avons suffisamment de ressources intérieures, nous nous sentons en mesure de faire face à presque n'importe quoi.

Si nous croyons que nous pouvons être efficaces, que nous avons suffisamment de ressources intérieures, nous nous sentons en mesure de faire face à presque n'importe quoi.

Pour augmenter votre taux d'efficacité, il est utile de faire une liste des situations passées où vous avez réussi à trouver en vous les ressources nécessaires pour surmonter des circonstances difficiles et stressantes.

C'est le cas, par exemple, si vous avez réussi, lors d'un examen ardu, à vous concentrer et à garder votre calme malgré le niveau de difficulté élevé. Souvenez-vous que vous avez pu y arriver cette fois-là : ainsi, lorsqu'une nouvelle source de stress se manifestera, vous saurez que vous pourrez de nouveau recourir à ces ressources intérieures. Vous diminuerez ainsi le niveau de stress que vous auriez pu être amené à vivre.

CULTIVEZ VOTRE FORCE PSYCHOLOGIQUE

Par force psychologique, il faut comprendre qu'elle a trait à tout ce qui touche à notre engagement dans diverses situations que nous avons à traverser. Plus notre degré d'engagement est élevé, plus nous sommes dans l'action, plus nous percevons le changement comme étant naturel et positif, et moins nous subissons les événements que nous avons à traverser. En cultivant notre capacité à réagir aux changements et à nous adapter, nous nous exposons à beaucoup moins de stress que si nous avons des difficultés à accepter le changement.

Les personnes qui ont une grande force psychologique sont aussi celles qui ont davantage le sens du défi, celui-ci nous permettant de voir le changement comme une chose naturelle, comme pouvant apporter du nouveau, du piquant dans notre vie, et non comme une chose négative.

Les personnes qui ont une grande force psychologique sont aussi celles qui ont davantage le sens du défi.

Cela nous ramène donc à nos fameuses croyances. De quelle façon j'aborde la vie, les changements ? Est-ce que je préfère toujours le *statu quo* ? Est-ce que je préfère avoir une vie sans surprises ? Ce n'est pas possible. La vie n'est qu'une succession de changements, d'impondérables, d'événements inattendus. Plus nous aimons les défis, la nouveauté, moins nous sommes sujets à l'anxiété ou au stress en cas de situations complexes.

AYEZ LE SENS DE L'HUMOUR

Il est indispensable d'avoir le sens de l'humour pour diminuer le stress. Sigmund Freud a écrit, il y a environ un siècle, que l'humour était le meilleur antidote au stress. Quelqu'un qui est capable d'avoir du plaisir, de rire (surtout de soi), vivra en effet moins de stress.

Lorsque nous avons du plaisir, nous sécrétons des hormones particulières, les endorphines, qui contribuent à diminuer le stress que nous ressentons. La meilleure réaction face au stress est d'avoir du plaisir, d'être capable de rire de soi, de dédramatiser une situation et de prendre les choses avec un grain de sel.

Malheureusement, la plupart des gens ont tendance à faire l'inverse, c'est-à-dire à faire des drames avec des riens, à se faire une montagne avec des choses sans importance. Si vous avez cette tendance, c'est le moment de consulter un outil qui s'appelle l'« échelle de la catastrophe ».

Outil d'intégration 4 : L'échelle de la catastrophe

Prenez un événement récent que vous avez jugé comme étant catastrophique.

Sur une échelle de 0 à 10, à combien situez-vous cet événement ?
0 = Pas grave du tout ; 10 = Très grave

0 5 10

Ensuite, questionnez-vous sur ce qu'il pourrait vous arriver de pire.

Ensuite, pire encore !

Faites cet exercice jusqu'à ce que vous arriviez à voir l'événement dans sa juste perspective. Ainsi, vous serez en mesure d'agir plus adéquatement afin d'y faire face.

Maintenant, en comparant avec ce qui pourrait arriver de pire, à combien placez-vous cet événement sur une échelle de 0 à 10 ?

0 5 10

CULTIVEZ LA PRÉVISIBILITÉ

Comme cela l'indique, la prévisibilité, c'est la capacité de prévoir un événement ou une situation potentiellement source de stress. Lorsque vous anticipez ce type de situation, vous mettez votre organisme en éveil et il se met à puiser les ressources dont il dispose pour y faire face. Par exemple, un déménagement est une source de stress pour beaucoup de gens. Toutefois, si vous vous y préparez, en planifiant bien les étapes nécessaires à son bon déroulement, vous puiserez en vous-même les ressources qui vous aideront à diminuer ce stress.

Évidemment, certaines choses sont totalement imprévisibles et elles peuvent être des causes de stress. Mais dans la mesure où nous pouvons prévoir ce qui arrivera, il vaut mieux le faire. Dans les situations imprévisibles, c'est le moment de recourir aux outils dont nous avons parlé précédemment. Si vous êtes fermement convaincu d'avoir une bonne santé, d'avoir les ressources intérieures nécessaires, d'avoir la force psychologique qui vous permettra de prendre suffisamment de recul, d'avoir un bon sens de l'humour qui vous aidera à dédramatiser les situations, vous serez toujours en mesure de réagir efficacement aux événements, même s'ils sont imprévisibles.

DEMANDEZ DU SOUTIEN

Plusieurs études ont prouvé qu'il est très efficace d'avoir un bon réseau social pour nous soutenir dans les moments difficiles. Ce n'est pas un préalable indispensable, et il n'est pas obligatoire d'avoir un entourage étendu pour nous soutenir. Mais cela contribue évidemment à nous faire voir les situations sous un autre angle et à les dédramatiser. Si nous savons que nous pouvons compter sur notre entourage dans les moments difficiles ou stressants de notre vie, il sera plus facile d'y faire face.

Notes

Que retenez-vous de la lecture de ce chapitre ? Quelles sont les prises de conscience qui vous inciteront à agir différemment ? Que ferez-vous à l'avenir ?

CHAPITRE 9

Gérer votre stress : un plan d'action

La pyramide du plan d'action en quatre étapes pour devenir plus résistant en situation de stress

4
Vivez pleinement !

3
Faites le ménage en vous-même !

2
Prémunissez-vous contre le stress !

1
Allez au-devant du stress !

ÉTAPE 1 : ALLEZ AU-DEVANT DU STRESS

Il faut d'abord s'interroger sur les causes du stress et travailler à les réduire. Pour ce faire, reportons-nous à l'exercice intitulé « Le carnet de bord », chap. 2, p. 41.

Dans ce carnet, vous avez noté chaque jour les activités courantes d'une semaine-type qui peuvent se révéler stressantes. Vous avez sans doute remarqué que votre stress apparaît à peu près toujours au même moment et dans des situations similaires.

Exemple

Certaines personnes affirment ressentir énormément de stress au volant, dans les bouchons de circulation, une situation qu'elles vivent au quotidien, par exemple pour se rendre au travail. Pour elles, la question à se poser est : « Puis-je me soustraire à cette situation ? » Dans la plupart des cas, la réponse sera non, à moins de changer d'emploi. Dès lors, ces personnes auront intérêt à se demander : « Que puis-je faire pour que cet événement, qui se répète jour après jour, ne me stresse plus ? Est-ce que je peux changer ma façon de voir une telle situation ? Est-ce que je peux garder mon calme dans ce contexte ? »

Vous avez en effet tout intérêt à changer votre perception d'un tel événement. Il est important de vous rendre compte d'une chose : si vous ne pouvez pas changer ce qui est la source de votre stress, vous avez intérêt à l'accepter.

Votre carnet de bord vous aidera à déterminer où se situent les principaux éléments stressants de votre vie au cours d'une semaine complète.

Aller au-devant du stress signifie également de pouvoir déterminer vos priorités. Nous avons vu à plusieurs reprises que le stress est moindre lorsque nous agissons en fonction de nos priorités. Alors, nous avons l'impression d'agir d'une façon qui nous rapproche de nos objectifs ou qui nous permet de réaliser notre mission de vie. Nous avons l'impression de faire les choses qui sont importantes pour nous. (Voir la section sur les priorités, chap. 11, p. 141.)

Les questions suivantes se posent donc : « Où sont mes priorités ? Et, parallèlement, est-ce que je leur accorde suffisamment de temps ? »

ÉTAPE 2 : PRÉMUNISSEZ-VOUS CONTRE LE STRESS

Pour nous prémunir contre le stress, nous devons gérer notre temps. En cette matière, il est important de faire une distinction entre les tâches urgentes et les tâches importantes.

Tout d'abord, les tâches urgentes sont celles que nous devons faire dans un bref délai, c'est-à-dire qu'elles doivent être exécutées à court ou à très court terme. Ce sont les tâches qui suscitent le plus de stress, ainsi qu'un sentiment de fatigue ou même d'insatisfaction.

Quant aux tâches importantes, ce sont celles qui nous procurent une grande source de satisfaction. Lorsque vous exécutez une tâche importante, vous vous sentez réellement efficace et utile. Elle vous donne un sentiment d'accomplissement, de calme et de sérénité. Elle vous convient parfaitement.

L'outil d'intégration qui suit vous propose de répartir vos différentes tâches quotidiennes, tant professionnelles que personnelles, selon leur degré d'urgence et d'importance.

Vous constaterez que les tâches D sont souvent superflues, et qu'il serait donc avantageux de vous en débarrasser. Par exemple, si vous regardez chaque semaine une émission de télévision qui, au fond, vous ennuie, cette activité est superflue et vous gagneriez à vous en débarrasser.

Les tâches C sont celles que vous pouvez déléguer. Si elles sont urgentes, elles doivent être faites sans tarder. Toutefois, d'autres personnes que vous peuvent probablement s'en charger, puisqu'elles ne sont pas importantes pour vous. Répondre à certains appels ou à des courriels au bureau, effectuer des travaux ménagers sont autant de tâches C.

Les tâches B sont celles qui vous procurent le plus de satisfaction et qui donnent le plus de résultats. C'est le cas, par exemple, lorsque vous passez du temps de qualité avec vos enfants, ou que vous vous adonnez à votre loisir préféré, ou encore lorsque vous travaillez sur un projet stimulant.

Outil d'intégration 5 : La gestion du temps – tâches urgentes et importantes

Classez vos activités personnelles et professionnelles selon l'urgence et l'importance que vous leur accordez.

La gestion de son temps : tâches urgentes et importantes	
Tâches A Urgentes, importantes • • • • • •	Tâches B Non urgentes, importantes (20 %-80 %) • • • • •
Tâches C Urgentes, non importantes • • • • •	Tâches D Non urgentes, non importantes • • • • •

ÉTAPE 3 : FAITES LE MÉNAGE EN VOUS-MÊME

À cette étape, il faut s'employer à avoir une image positive de vous-même. Pour ce faire, vous pouvez recourir à la « méthode Coué », que certains connaissent peut-être déjà, et qui consiste à faire appel à l'autosuggestion positive. Cette méthode a été élaborée par le pharmacien et psychothérapeute Émile Coué, à la suite des expériences qu'il a réalisées.

Lorsqu'il remettait une ordonnance à certains de ses clients, il ajoutait un mot d'encouragement ou une parole réconfortante, alors que, pour d'autres, il se contentait de remettre les médicaments prescrits sans commentaires. Émile Coué a constaté que ceux qui avaient reçu une suggestion positive se rétablissaient mieux et plus rapidement que les autres.

Il avança donc la théorie qu'avoir des pensées positives et de se les répéter constamment intérieurement peut avoir des effets positifs, sur le plan des aptitudes, des états et des comportements de la personne. Ainsi, selon Émile Coué, les propos subjectifs gardés à l'esprit ont une influence sur l'état corporel.

Le but n'est pas de voir la vie avec des lunettes roses, mais simplement de prendre conscience que notre discours intérieur, que nous nous répétons constamment, a une incidence sur la façon dont nous nous sentons et sur le stress que nous ressentons.

Vous êtes votre pire ennemi

Pour obtenir une image positive de vous-même, voici quelques questions que vous avez tout intérêt à vous poser :

- *Que pourrais-je me dire pour avoir une influence positive sur moi-même ?*
- *Quels sont les succès dont je suis fier ?*
- *Quelles sont les qualités, les aptitudes dont je dispose et qui sont gages de succès ?*
- *Quelles sont les ressources intérieures qui me permettent de vaincre mon stress ?*

N'oubliez pas que plus vous entretiendrez des idées favorables, des pensées réalistes en ce qui a trait à votre personnalité, moins vous verrez le verre à moitié vide. Lorsque votre discours intérieur est positif, cela a une incidence sur la façon dont vous vous sentez. Et cette influence est grandement positive. *(Voir la section sur le verre toujours à moitié vide, chap. 4, p. 64.)*

ÉTAPE 4 : VIVEZ PLEINEMENT

Il s'agit d'adopter un mode de vie plus équilibré. Il existe diverses façons d'y parvenir, en voici quelques-unes :

1. Une saine alimentation donne beaucoup d'énergie. Il a été prouvé que les gens qui s'alimentent bien et qui ont un poids santé ont beaucoup plus d'énergie que les autres.
2. Il est important d'avoir une faible consommation d'alcool, de caféine et de tabac. On ne le dira jamais assez. Malheureusement, beaucoup de gens ont développé une dépendance au café, d'autres à l'alcool ou au tabac.
3. Faire de l'exercice plusieurs fois par semaine est bénéfique. Cela ne signifie pas courir un marathon ou s'entraîner tous les jours de la semaine dans un gymnase. Il suffit de faire une simple marche rapide tous les jours.
4. Il est vital de se faire plaisir. Demandez-vous ce qui vous allume. Qu'aimez-vous réellement faire ?
5. Cultivez de bonnes relations avec les autres. Faites le ménage autour de vous. Écartez les gens qui drainent votre énergie. Même s'il s'agit d'un ami de longue date, s'il ne vous apporte que des aspects négatifs, il n'est pas sain de poursuivre cette relation. Faites-vous le cadeau de faire du ménage dans votre vie et de fréquenter des gens positifs qui contribuent à augmenter votre bien-être.
6. Apprenez à vous détendre par des techniques de respiration, de relaxation, de visualisation positive. Vous pouvez vous faire masser, faire du yoga, prendre un bain relaxant. Les façons de se détendre sont aussi nombreuses que diverses, mais il est important d'y avoir recours.
7. Dormez-bien ! En principe, on doit dormir de sept à huit heures la nuit. Faites-vous ce cadeau très important.
8. Riez ! Ayez du plaisir. Rappelez-vous à quel point vous vous sentez bien et détendu après un bon fou rire. Essayez ! Louez-vous des films drôles, riez entre amis, prenez la vie avec un grain de sel. Vous verrez alors que votre mode de vie est beaucoup plus équilibré, et vous n'en aurez que plus d'énergie.

Exercice de réflexion 7

Dans cet exercice, vous allez vous créer une boîte de plaisirs à tirer au sort. Pourquoi une telle idée ? Nous savons que notre courbe de stress a tendance à diminuer lorsque nous nous faisons plaisir. En effet, lorsque nous nous faisons plaisir, nous contribuons à prendre soin de nous et à faire ce que nous aimons. Se faire plaisir peut aussi signifier consacrer du temps aux gens que nous aimons ou tout simplement profiter de la vie.

Être de bonne humeur et bien dans sa peau, voilà le but de la boîte de plaisirs. Nous savons que des endorphines sont sécrétées dans notre cerveau lorsque nous avons du plaisir. Découverte dans les années 1970, l'endorphine est une substance endogène produite naturellement par notre corps. Elle est un message chimique qui permet à l'organisme de garder son équilibre et son bien-être et, par conséquent, de diminuer notre stress.

Notez ci-dessous quelques activités simples qui vous donnent du plaisir et de la satisfaction.

____

____

____

____

____

Maintenant, procurez-vous une petite boîte décorative, inscrivez ces activités sur des bouts de papier. Chaque jour, tirez-en un et offrez-vous un moment de plaisir ! Cela peut être aussi simple que de lire un magazine, faire un casse-tête, une promenade, voir un film. Laissez aller votre imagination !

Notes

Que retenez-vous de la lecture de ce chapitre ? Quelles sont les prises de conscience qui vous inciteront à agir différemment ? Que ferez-vous à l'avenir ?

____

____

____

____

____

____

____

____

CHAPITRE 10

Votre mission personnelle

QUELLE EST VOTRE MISSION PERSONNELLE ?

Revenons maintenant sur la notion de mission, telle que nous l'avons brièvement présentée dans l'introduction (voir p. 7).

Pourquoi sommes-nous sur Terre ? Souvent les gens qui subissent énormément de stress, les meilleurs candidats au *burn-out,* sont aussi ceux qui sont en train de passer à côté de leurs aspirations, de leurs rêves, de leur mission. En fait, ils ne se sont jamais penchés sur la question de leur mission personnelle ou, s'ils l'ont fait, ils ne font rien pour la mettre en application.

- *Que voulez-vous, exactement, dans votre vie ?*
- *Quelles sont vos priorités ?*
- *Que désirez-vous accomplir ?*
- *Avez-vous des projets ?*
- *Ces objectifs sont-ils vraiment les vôtres ou vous ont-ils été imposés par un parent ? Par exemple : « Je suis devenu comptable, parce que mon père voulait que je sois comptable comme lui. » Vos rêves vous appartiennent-ils réellement ?* *(Voir la section sur les priorités, chap. 11, p. 141.)*

Combien de fois entendons-nous : « Oui, mais je n'ai pas le choix. Je n'ai pas d'autre choix que de travailler pour cette entreprise. Je n'aime pas mon travail, mais je n'ai pas le choix. Ça fait 15 ans que je suis là, je pourrai prendre ma retraite dans 10 ans, alors je vais endurer. » (Voir la section sur le changement, chap. 12, p. 157.)

C'est triste. Réellement, n'avez-vous pas le choix ? Évidemment, ce n'est pas une décision facile à prendre. Tout changement se planifie, que nous soyons malheureux au travail ou dans une autre sphère de notre vie. Ce n'est pas une décision qui se prend du jour au lendemain. Mais assurément, nous avons toujours le choix. Encore faut-il se doter des outils et des moyens pour être capable de faire ces choix. La première question à se poser est : « Qu'est-ce que je veux vraiment ? »

EXERCICE DE RÉFLEXION 8

Pour mieux comprendre ce propos, rien de tel qu'un exercice. Imaginez que vous êtes âgé de 80 ans. C'est le jour de votre anniversaire et on vous a organisé une fête surprise. Tous les gens que vous avez aimés dans votre vie se sont réunis pour vous rendre hommage.

Qu'aimeriez-vous que les gens disent de vous ? Qu'aimeriez-vous qu'ils disent à propos de votre contribution et de votre influence dans leur vie ?

Réfléchissez bien. Vous pourriez être porté à dire : « J'aimerais qu'ils disent de moi que j'ai été une personne qui était là pour eux... qui était à leur écoute... » Mais en même temps, vous avez travaillé très fort toute votre vie et vous n'aviez pas vraiment le temps d'être à l'écoute des autres. Ce que vous désirez ne reflète pas nécessairement votre vie et votre comportement quotidien.

Nous pensons toujours à tort que nous aurons du temps plus tard. Nous vivons comme si nous étions éternels, mais la réalité est tout autre. Êtes-vous sûr d'être encore là demain pour dire à vos parents ou à vos enfants que vous les aimez ? Serez-vous encore là pour les épauler ? Personne ne le sait. Nous souhaitons tous vivre le plus longtemps possible, mais la vie, tout comme la mort, demeure un grand mystère.

Maintenant, posez-vous à nouveau la question : « Qu'aimerais-je entendre de la bouche de mon entourage ? »

POURQUOI EST-IL SI IMPORTANT DE DÉTERMINER VOS PRIORITÉS ?

Vous l'aurez compris, quand notre mission personnelle est clairement définie, quand nos priorités sont établies, nous sommes en mesure de nous poser des questions plus réalistes et objectives. Il faut donc se demander : « Ai-je réellement investi le temps nécessaire là où il le fallait ? » (Voir la section sur les priorités, chap. 11, p. 141.)

Exercice de réflexion 9 : Où est-ce que j'investis mon temps ?

Le but de cet exercice est de vous aider à déterminer où vous investissez votre temps. Noircissez la proportion de votre temps que vous accordez chaque semaine à chacune des catégories suivantes.

Travail	Conjoint	Enfants	Famille	Amis	Loisirs	Détente	Repos

Observez le résultat en vous demandant s'il semble y avoir un équilibre. De plus, si l'une de ces sphères vous apparaît moins satisfaisante, notez quelle proportion de la colonne est coloriée.

Quelles sont vos observations ?

Si l'un de vos objectifs prioritaires est de vous occuper de votre famille, mais que vous travaillez 90 heures par semaine, ce n'est pas réaliste. Vous pouvez toujours vous dire que le temps passé en compagnie de vos enfants est du temps de qualité… mais êtes-vous sûr que seule la qualité compte ? Ne faudrait-il pas y mettre également un peu de quantité ?

Ainsi, le fait de vous recentrer sur ce que vous désirez vraiment, sur vos objectifs prioritaires, sur votre mission dans la vie, vous permettra d'y voir un peu plus clair. Faut-il attendre un événement grave, comme une maladie ou un accident, pour faire cette remise en question ? Pourquoi ne pas la faire dès aujourd'hui ? Pourquoi ne pas décider de commencer à vivre maintenant comme s'il vous restait trois mois à vivre ? Pourquoi toujours attendre un diagnostic de cancer ou de maladie incurable pour se dire : « Maintenant, je vais faire ce que j'ai toujours eu envie de faire » ? Cela n'a pas de sens ! Au fond, personne ne sait, ni vous ni moi, si nous serons encore là la semaine prochaine !

Statistique intéressante, chez les Canadiennes âgées de 25 à 54 ans, le taux d'activité sur le marché du travail se situe à 81 %. Cette donnée est impressionnante, puisque ce taux atteignait 70 % en 1986 et seulement 52 % en 1976. On a donc assisté à une progression spectaculaire de la présence des femmes sur le marché du travail. On dit que la participation des hommes aux tâches domestiques est directement liée à cette arrivée massive des femmes sur le marché du travail. Il semble que, même si les hommes font davantage d'efforts à la maison, l'écart qui les sépare des femmes demeure important. En 1986, les hommes consacraient en moyenne 2 heures 6 minutes par jour aux tâches domestiques de toutes sortes, comparativement à 4 heures 48 minutes pour les femmes. En 2005, les chiffres correspondants étaient de 2 heures 30 minutes pour les hommes et de 4 heures 18 minutes pour les femmes. Les hommes, eux, compenseraient en travaillant davantage à l'extérieur de la maison. Mais qui travaille davantage ? En 2005, en incluant le transport, les hommes âgés de 25 à 54 ans consacraient en moyenne 6,3 heures par jour à leur travail, contre 4,4 heures pour les femmes. Constat intéressant, en additionnant l'ensemble des heures travaillées (au bureau et à la maison), on arrive au même résultat pour les deux sexes : tous genres de tâches confondues, hommes et femmes travaillent 8,8 heures par jour. On note également qu'en 10 ans, si on prend en considération l'ensemble de la population de 25 à 54 ans, le temps consacré au travail rémunéré a augmenté, pendant que le temps consacré aux tâches domestiques a diminué. Ces statistiques proviennent de l'étude intitulée Convergence des rôles des sexes, *qui peut être téléchargée gratuitement sur la page d'accueil de* L'Observateur économique canadien *(www.statcan.ca/bsolc/francais).*

L'histoire de Nancy

Nancy a rencontré son mari à l'université, où ils étudiaient en journalisme. Au terme de leurs études, tous deux ont décroché un bon emploi. Si son mari s'est dirigé vers un autre domaine, Nancy a décidé de poursuivre sa carrière en journalisme et elle s'est trouvé un poste très important au sein d'un grand journal. Leurs salaires combinés leur permettaient de vivre dans l'aisance.

Avec le temps, ils ont réussi à atteindre un niveau de vie intéressant. Ils vivaient à l'aise et pouvaient consacrer du temps à leurs loisirs. Mais plus Nancy avançait dans sa trentaine, plus elle ressentait l'urgence d'avoir un enfant. Évidemment, elle consacrait énormément de temps à son travail, mais l'un de ses objectifs était prioritairement d'avoir un enfant avec son conjoint.

Elle est finalement tombée enceinte. Mais quelques mois après l'accouchement, la pression de retourner au travail s'est fait sentir. Ce n'était pas son mari qui la pressait, c'était elle-même. Elle œuvrait dans un domaine très compétitif et, si elle ne voulait pas perdre sa place, elle devait absolument retourner travailler. Elle a finalement obtenu une promotion. Sa petite fille avait deux ans.

Lorsqu'on est promu dans le milieu du journalisme, comme dans le cas de Nancy, on se rend compte qu'on doit consacrer énormément de temps à son travail. Et c'est ce qui est arrivé à Nancy. Impossible pour elle de faire du 9 à 5. Elle rentrait de plus en plus tard à la maison, si bien que son mari prenait soin de l'enfant, ce qui créait de plus en plus de frictions dans leur couple. Marc lui en parlait souvent et elle répondait invariablement : « Tu sais, j'ai une grande carrière, et c'est important pour moi. Tu m'as toujours dit que tu m'épaulerais. » Mais, évidemment, lorsqu'on part à 7 h du matin pour rentrer à 22 h, et ce, sept jours sur sept, et qu'en plus on rapporte du boulot à la maison, cela ne peut durer éternellement. Pour Marc, c'en était trop.

Si bien que, lorsque Nancy est venue en consultation, elle se trouvait face à une demande de divorce. Marc lui avait dit : « Tu as clairement choisi ton travail. À plusieurs reprises, j'ai manifesté mon mécontentement, mais tu n'as pas été à l'écoute, donc je décide que je m'en vais. »

Vous pouvez imaginer dans quel état s'est trouvée Nancy. Elle avait travaillé si fort pour atteindre son but. Mais elle perdait tout le reste : tout ce qui était tellement important à ses yeux, son conjoint, sa fille qu'elle n'avait pas vu grandir pendant les trois premières années de sa vie, ou pratiquement pas. Par contre, elle avait son poste auquel elle accordait tant d'importance.

Nancy était dans un état désespéré. Elle n'avait pas su être à l'écoute de son mari. Elle était passée à côté des choses de la vie, et ce n'est qu'une fois dans mon bureau, une requête de divorce entre les mains, qu'elle l'a compris. Elle n'avait pas su reconnaître les signes avant-coureurs de la rupture.

Mes propos ne visent pas à faire le procès de Nancy, mais plutôt à faire prendre conscience de l'importance des événements et de ce qui survient. Nous nous rendons compte souvent trop tard que nous avons tellement travaillé que nous en avons négligé d'autres aspects tout aussi importants de notre vie. Nous disposons tous de 24 heures dans une journée, et c'est une des seules égalités qui existe dans le monde. Mais ce que nous décidons de faire de ces 24 heures appartient à chacun d'entre nous.

Si vous vous dites encore que vous n'avez pas le temps, dites plutôt, désormais, que vous avez décidé de ne pas prendre le temps... parce que telle est la vérité. Nous devons tous décider d'accorder le temps nécessaire aux choses et aux gens qui nous tiennent à cœur. Personne ne peut le faire à notre place.

Vous êtes-vous reconnu en Nancy ? Si tel est le cas, je vous invite fortement à vous poser des questions sur vos priorités, sur votre mission. Pourquoi êtes-vous ici-bas ? N'attendez pas que quelque chose de fâcheux se produise dans votre vie, n'attendez pas que votre conjoint demande le divorce, n'attendez pas de tomber malade, n'attendez pas de perdre votre meilleur ami : posez-vous les bonnes questions, tout de suite.

ÊTES-VOUS AU BOUT DU ROULEAU ?

Vous trouverez un petit questionnaire à la page suivante qui vous aidera à déterminer si vous êtes au bout du rouleau. Répondez-y avec le plus d'honnêteté possible en cochant oui ou non pour chacune des questions.

Êtes-vous au bout du rouleau ?	Oui	Non
1. Votre entourage vous exaspère-t-il ? Vous dit-on fréquemment : « Tu n'as pas l'air en forme depuis quelque temps ? »		
2. À la fin de la journée, vous sentez-vous complètement vidé, au point que vous n'avez qu'une envie : vous coucher ?		
3. Croyez-vous que vous travaillez de plus en plus fort, mais que votre rendement diminue constamment ?		
4. Vos rapports sexuels vous paraissent-ils de moins en moins intéressants ?		
5. Vous sentez-vous de plus en plus fatigué, exténué, sans énergie ?		
6. Êtes-vous de plus en plus irritable, colérique, à l'égard de votre entourage ?		
7. Ressentez-vous des malaises physiques ?		
8. Sentez-vous que vous avez de plus en plus de difficulté à accepter les blagues qu'on peut faire à votre égard ?		
9. Ressentez-vous souvent de la tristesse sans pouvoir vous expliquer pourquoi ?		

Vous avez répondu oui à une ou plusieurs de ces questions, et vous trouvez cela normal ? Vous trouvez qu'il est correct d'arriver chez vous tellement fatigué que tout ce que vous avez envie de faire se résume en un seul mot : rien ! Non, ce n'est pas normal !

Si vous avez répondu oui à quelques-unes de ces questions ou à toutes ces questions, vous êtes en effet à la veille d'être au bout du rouleau. Si votre vie se résume aux oui de ce petit questionnaire, eh bien, la mauvaise nouvelle est que vous êtes non seulement en train de vous brûler, mais que vous êtes en train de passer à côté des choses importantes de l'existence. Vous laissez les événements prendre la direction de votre vie.

Malheureusement, nous avons tous tendance à prendre les choses de travers, dans la mesure où nous nous trouvons un emploi, un conjoint, nous faisons des enfants et qu'il arrive un moment où nous constatons que ce n'est peut-être pas ce que nous avions voulu. Nous n'occupons pas l'emploi que nous espérions, nous n'avons pas non plus le conjoint dont nous rêvions, mais nous nous sommes laissé emporter par la vague des événements, faute d'avoir su déterminer nos réels désirs, faute de nous être posé les bonnes questions : « Quelle est ma mission ? Pourquoi suis-je ici ? Qu'ai-je vraiment envie de réaliser ? Qu'ai-je envie de faire ? Que pourrais-je faire pour me sentir en vie ? »

Nous pouvons toujours attendre qu'un événement grave survienne avant de nous prendre en main. Mais il est plus pertinent de décider ce qu'il faut faire aujourd'hui, tout simplement en prenant conscience que c'est nous qui contrôlons notre vie. Pour cela, il faut faire certains efforts et déterminer nos objectifs prioritaires. (Voir la section sur les priorités, chap. 11, p. 141.)

Exercice de réflexion 10

Voici un exercice qui vous aidera à établir vos priorités dans quatre domaines clés de la vie.

Quels sont vos vrais désirs sur le plan familial ?

Si vous êtes en couple, répondez à cette question : « Suis-je heureux avec la personne avec qui je vis ? » Si vous êtes célibataire, précisez le genre de personnes que vous souhaiteriez rencontrer. Désirez-vous des enfants ? Déterminez votre idéal sur le plan familial.

____

____

____

____

____

____

Quels sont vos vrais désirs sur le plan professionnel ?

Suis-je satisfait de mon emploi actuel ? Est-ce bien ce à quoi j'aspirais ? Où est-ce que je veux être dans un an, dans deux ans, dans cinq ans ; où est-ce que je me vois ? Est-ce que je veux une promotion ? Une augmentation de salaire ? Est-ce que je veux devenir travailleur autonome ? Est-ce que je veux lancer mon entreprise ? Bref, déterminez votre idéal dans le domaine professionnel.

Une mise en garde, toutefois. En faisant cet exercice, plusieurs seront tentés de répondre : « Moi je veux avoir une vie de famille extraordinaire. Passer beaucoup de temps avec les miens. » Mais en même temps, ils veulent mettre sur pied une entreprise, diriger une multinationale afin de se réaliser pleinement sur le plan professionnel. Donc, n'oubliez pas de vous demander si vos deux objectifs ne sont pas contradictoires. En l'occurrence, les deux aspirations sont presque impossibles à concilier, en tout cas, difficilement, car je n'aime pas le mot « impossible ». Il serait difficile d'investir 100 heures par semaine pour monter une entreprise si vous désirez en même temps passer beaucoup de temps avec votre famille. N'oubliez pas, nous disposons tous de 24 heures dans une journée et, en principe, nous devrions en passer au moins 7 ou 8 à dormir.

____

____

____

____

____

____

____

Quels sont vos vrais désirs sur le plan social ?

Ces questions sont là pour vous aider à y voir plus clair en ce qui concerne vos désirs sur le plan social. Qui sont vos amis ? Voulez-vous avoir plus d'amis ? Passez-vous suffisamment de temps en leur compagnie ? Quels genres d'activités aimeriez-vous partager avec eux ? Les aidez-vous suffisamment ? Les soutenez-vous ? Ressentez-vous leur soutien lorsque vous en avez besoin ?

____

____

____

____

____

____

____

____

____

Quels sont vos vrais désirs sur le plan physique ?

De quelle façon vous occupez-vous de votre corps ? Vous alimentez-vous bien ? Prenez-vous le temps de faire de l'exercice ? Êtes-vous bien dans votre peau ? Prenez-vous le temps de vous relaxer, de faire des choses que vous aimez ? Si vous consacrez du temps à faire ce que vous aimez, vous serez plus heureux. Aimeriez-vous perdre du poids ? Prendre du poids ? Arrêter de fumer ?

____

____

____

____

____

____

Après avoir examiné attentivement ce que vous avez noté pour ces quatre domaines, vous prendrez peut-être conscience des attentes irréalistes que vous entretenez. Il est illusoire de penser que nous pouvons devenir un champion de marathon en nous entraînant une heure par semaine. Il est illusoire de penser que nous pouvons avoir une vie de couple satisfaisante si nous y consacrons à peu près une heure par semaine. Il est illusoire de penser que nous pouvons avoir une relation extraordinaire avec nos enfants si nous n'avons même pas le temps de jouer avec eux. Si vos enfants pensent que vous êtes le voisin lorsqu'ils vous voient, vous avez un sérieux problème.

Bien sûr, je pousse l'idée un peu loin. Mais il s'agit de vous faire comprendre que, si vous avez toujours l'impression de courir, de manquer de temps, de vivre dans le stress et d'être insatisfait dans un ou plusieurs domaines de votre vie, c'est fort probablement parce que vous avez des attentes et des objectifs complètement irréalistes. Il est donc important de revoir vos priorités.

Maintenant que vous avez décrit toutes vos priorités, classez-les par ordre d'importance. Quelles sont celles que vous pouvez laisser tomber ? Y en a-t-il une à laquelle vous devez à tout prix accorder davantage d'attention parce qu'elle est placée en tête de liste ? Votre santé, par exemple. Vous n'y consacrez sans doute pas le temps nécessaire. Vous ne vous alimentez pas bien, vous fumez, vous ne faites pas d'exercice, mais, par contre, vous avez placé la santé en priorité. Cela est-il sensé ?

Très souvent, lorsque nous commençons à faire cet exercice, la prise de conscience suit. Nous nous rendons compte que, en effet, il est temps de revoir nos priorités. Cela permet de nous remettre sur la bonne voie, de faire un pas vers une vie meilleure, plus satisfaisante, qui va nous combler, et dans laquelle nous n'aurons pas l'impression de simplement courir après le temps, d'abattre du boulot, et de faire une course à obstacles.

Après avoir fait cet exercice, bon nombre de gens se rendent compte qu'ils ne sont en effet pas en train de mettre leurs efforts et leurs ressources au bon endroit. Il est alors encore temps de procéder à des ajustements. Malheureusement, trop souvent ces ajustements ne sont que temporaires. Si vous décidez de changer quelque chose, un comportement, une attitude, une habitude, assurez-vous de le faire pour le reste de votre vie, pas pour une durée d'une semaine.

C'est le même principe que pour les bonnes résolutions du 1er janvier. Certaines personnes se promettent d'aller s'entraîner au cours de la nouvelle année. Le 2 janvier, elles s'inscrivent au gymnase du coin, y vont une semaine, deux semaines, trois semaines. Mais que se passe-t-il bien souvent en février ? À la mi-février, on ne les y voit plus. Ces personnes avaient de très bonnes intentions, mais elles n'ont pas fait preuve de constance, elles n'ont pas persévéré.

Alors, reposez-vous bien la question : « Qu'est-ce que je veux vraiment ? » Ces attentes, ces objectifs sont-ils réalistes pour vous ? Si la réponse est non, vous reviendrez sans tarder à vos anciennes habitudes, et ce livre ne sera qu'un de ceux que vous aurez trouvés fort intéressants, mais très peu utiles.

N'oubliez jamais que personne ne peut obtenir de changements de comportement sans s'y atteler de façon acharnée. Les intentions, c'est bien beau, mais il faut aussi des actions pour voir des changements. (Voir la section sur le changement, chap. 12, p. 149.)

Vous ressentez beaucoup de stress ? À la suite de la lecture de ce livre, vous allez courir vous inscrire à un cours de yoga en pensant que tout le reste changera automatiquement. Grave erreur ! Je ne suis pas en train de dire que le yoga n'est pas bon, mais de là à croire qu'il suffit de changer un seul comportement pour que le reste de notre vie en soit influencé entièrement... cela tient de l'illusion.

Voilà pourquoi je vous suggère de vous recentrer sur vos priorités en faisant l'exercice consistant à y remettre de l'ordre. À partir de ce moment-là, les changements se révéleront plus pertinents parce que vous les ferez dans le but d'atteindre vos objectifs.

Notes

Que retenez-vous de la lecture de ce chapitre ? Quelles sont les prises de conscience qui vous inciteront à agir différemment ? Que ferez-vous à l'avenir ?

CHAPITRE 11

Définissez vos priorités, établissez vos objectifs et tenez-vous-en à eux !

Comme nous l'avons vu dans le chapitre précédent, ne pas avoir d'objectifs clairs peut amener à ressentir du stress et d'autres émotions négatives, parce que nous avons l'impression de passer à côté de quelque chose ou de ne pas consacrer notre temps à nos priorités.

Qu'avez-vous placé en tête de liste de vos priorités, qu'est-ce que vous désirez le plus ? De l'argent ? Du succès ? Une vie de famille agréable ? Le poste que vous occupez ? Des relations interpersonnelles riches ?

Déterminer nos priorités nous permet de vivre selon ce qui est important pour nous. Depuis le début de ce livre, je ne cesse de vous recommander d'avoir du plaisir, de faire les choses que vous aimez, ce qui revient en grande partie à dire : faites ce qui est important pour vous.

Exercice de réflexion 11

Cet exercice vous évitera d'avoir à prononcer les fameux « J'aurais donc dû ! » lorsque vous aurez 70 ans. Pour commencer, isolez-vous dans un endroit tranquille et fermez les yeux. Cherchez un lieu où vous ne courez aucun risque d'être dérangé. Imaginez-vous à 70 ans et posez-vous la question suivante : « À quoi aimerais-je que ma vie ait ressemblé lorsque j'aurai 70 ans ? » Pour vous aider, voici une liste de priorités que vous devrez classer selon l'importance que vous leur accordez.

1. J'ai passé beaucoup de temps avec mes enfants tout au long de leur jeunesse.

   ____

2. J'ai pris soin de ma santé.

   ____

3. J'ai réussi sur le plan professionnel.

   ____

4. J'ai accédé à un poste que je convoitais.

   ____

5. J'ai gravi les échelons de mon entreprise.

   ____

6. J'ai lancé ma propre entreprise avec succès.

   ____

7. Je suis devenu un auteur à succès.

   ____

8. J'ai établi des relations amicales solides.

   ____

9. J'ai passé les meilleurs moments de ma vie avec les gens que j'aimais.

   ____

10. J'ai pris le temps d'établir des relations avec les gens qui m'entouraient.

___

11. J'ai passé beaucoup de temps avec mon conjoint ou ma conjointe.

___

12. J'ai passé des vacances extraordinaires.

___

13. J'ai trouvé chaque jour merveilleux.

___

14. J'ai amassé une solide fortune personnelle.

___

15. J'ai aidé les autres et j'ai contribué à améliorer leur vie.

___

16. J'ai réalisé mes rêves les plus fous.

___

17. Chaque jour a été une occasion d'apprendre.

___

Cette liste de priorités est évidemment partielle, mais elle vous aidera à déterminer vos priorités et à les classer. À vous de jouer ! Qu'est-ce qui est le plus important pour vous, dans la vie ?

FIXEZ-VOUS DES OBJECTIFS POUR REVOIR VOS PRIORITÉS

Pour beaucoup d'entre nous, se fixer des objectifs est un exercice très excitant. Il n'y a du reste rien de plus triste que quelqu'un qui n'en a pas. Mais si chacun peut rêver d'une vie meilleure, tout le monde ne réussit pas à vivre son rêve. Alors, comment y parvenir ?

Avez-vous déjà eu une impression de vide après avoir concrétisé un grand rêve. Très souvent, des athlètes d'élite avouent avoir vécu des moments de dépression à la suite d'une grande victoire, par exemple aux Jeux olympiques. Quel est le phénomène qui entre en ligne de compte ? Pourquoi alors ressentir du découragement ou être en état de dépression ?

Les longues années d'entraînement de ces athlètes devaient les conduire à l'obtention d'une médaille. Le jour où la consécration arrive, plusieurs d'entre eux se sentent privés d'objectifs ou pensent avoir atteint leur rêve ultime. C'est à ce moment que peut survenir ce sentiment de dépression.

Nos objectifs doivent donc satisfaire nos vraies valeurs et être en adéquation avec nos désirs réels, sinon ils sont voués à nous mener à l'échec. Voilà la raison pour laquelle vous devez énoncer vos objectifs en respectant certaines règles précises. La finalité d'une telle démarche vise à éviter qu'il existe un trop grand écart entre les rêves et la réalité.

Quatre règles de base à respecter[13]

Règle 1 : L'affirmation positive

Avant tout scénario, vous devez formuler vos objectifs de manière positive. En effet, pour les atteindre, il faut que votre inconscient accepte le message fixé par votre conscient. Or nous savons que l'inconscient ne comprend pas les formulations négatives, par exemple : « Ne pense pas à un éléphant rose. » Si je vous dis cela, à coup sûr, vous allez y penser ! Certains d'entre vous le visualisent peut-être déjà. Il en va de même pour vos objectifs. Si vous dites : « Je ne veux plus peser 100 kilos », vous ne vous concentrez pas sur ce que vous voulez atteindre, mais sur ce dont vous ne voulez plus. Il est donc conseillé d'éviter les formulations négatives, telles que : « Je ne veux plus... » ou « Je ne souhaite pas... ». Énoncez plutôt ce que vous voulez.

Règle 2 : La clarté

On sait aujourd'hui que l'atteinte d'un objectif tient pour beaucoup à un processus d'élaboration précis. Cela signifie que, pour augmenter vos chances de réussite, votre objectif devra se scinder en diverses phases que vous validerez une à une. En pratique, si votre objectif est : « Je veux obtenir une augmentation de salaire », vous aurez à définir certains paramètres de temps (quand) et de quantité (combien). Rappelez-vous que plus votre objectif est précis, plus vous augmentez vos chances de l'atteindre.

13. Adapté de Sylvie Angel, « Mieux vivre, mode d'emploi », *Psychologies Magazine,* Paris, Éditions Larousse, 2002.

Règle 3 : La cohérence

Tel que je le précisais précédemment, vous ne pouvez espérer créer une multinationale, fonder une famille de quatre enfants, devenir champion olympique de ski acrobatique en n'investissant que quelques heures par semaine à chacune de ces sphères de votre vie. Ce serait illusoire... à moins que vous ne soyez un superhéros. Vos objectifs doivent donc être cohérents et réalistes. Cela ne vous empêche pas de rêver et de vous fixer des objectifs élevés, mais il faut néanmoins rester conséquent.

Règle 4 : Le réalisme

En plus d'être clairs, cohérents, précis et exprimés positivement, vos objectifs doivent aussi tenir compte d'éléments clairs. Ils ne doivent jamais être surdimensionnés par rapport à vos possibilités, faute de quoi vous allez vous décourager. Il serait complètement irréaliste pour un jeune homme de 1,50 m d'aspirer à devenir champion de basketball dans la NBA. Vous aurez compris que cet objectif risque de mener notre jeune homme tout droit au découragement. Pour ce faire, il faudra bien évaluer les risques attachés à cet objectif afin d'accepter le principe d'une réussite ou d'un échec potentiels. Mettez toutes les chances de votre côté. Un bon objectif, lorsqu'il est réaliste, doit l'être en tout point.

DÉTERMINEZ VOS OBJECTIFS À L'AIDE DE LA MÉTHODE SMART : QUEL BUT VOULEZ-VOUS ATTEINDRE, DANS LA VIE ?

La méthode SMART

La méthode SMART vous permettra de faire le point sur vos objectifs par rapport à la gestion du stress.

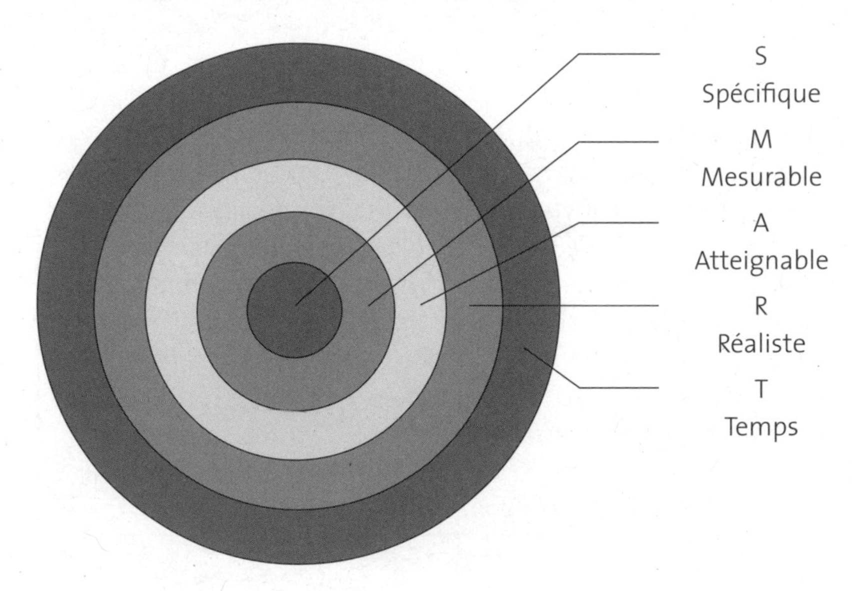

OUTIL D'INTÉGRATION 6 : FIXEZ-VOUS UN OBJECTIF SMART

Cet outil d'intégration vous amène à vous fixer un objectif en respectant les différentes règles énoncées précédemment. La formulation d'un objectif est une partie très importante du processus qui vous conduira à sa réalisation. Plus il sera formulé adéquatement, plus vous augmentez vos chances de l'atteindre.

1. Qu'est-ce que je veux ?

____

____

____

____

____

Est-ce que mon objectif est spécifique ? Répond-il aux questions suivantes ?

Quoi ? ___

Qui ? ___

Quand ? ___

Comment ? ___

2. **Comment vais-je savoir que mon objectif est atteint ? Quelle est mon unité de mesure ?**

___

___

___

___

3. **Est-ce que la réalisation de mon objectif est possible ?**

___

Sinon, comment est-ce que je peux me réajuster ?

___

4. **Mon objectif est-il réaliste ?**

___

Sinon, comment puis-je le rendre réalisable ?

___

5. **Combien de temps je m'alloue pour réaliser cet objectif ? Dates et délais ?**

___

___

___

___

6. **Quels sont les avantages d'atteindre cet objectif pour moi et mon entourage ?**

___

___

___

___

7. Quels sont les inconvénients dans l'atteinte de cet objectif pour moi et mon entourage ?

____

____

____

8. Quelles sont les solutions que je peux mettre en place pour contrer ces inconvénients ?

____

____

____

9. De quelles ressources (finances, personnes, qualités) ai-je besoin pour atteindre cet objectif ?

____

____

____

10. Quelles sont les étapes à prévoir ?

____

____

____

Notes

Que retenez-vous de la lecture de ce chapitre ? Quelles sont les prises de conscience qui vous inciteront à agir différemment ? Que ferez-vous à l'avenir ?

____

____

____

____

____

____

____

____

____

____

____

CHAPITRE 12

En route vers le changement

Depuis le début de votre lecture, vous avez eu accès à de nombreux outils destinés à vous aider à ressentir moins de stress, à vous fixer des objectifs, à déterminer votre mission, à apporter des modifications dans votre vie et à vous diriger vers la voie du bonheur. Pour la majorité des gens, cela implique de faire des changements dans leur vie. Pour certains d'entre vous, ces changements seront radicaux et aisés. Pour d'autres, c'est déjà une grande source de stress que de penser qu'il va falloir laisser de côté le confort du connu pour effectuer un changement.

Comme vous le savez, c'est la perception que nous avons d'une situation qui est responsable du stress que nous ressentons. En effet, certaines personnes perçoivent la part d'inconnu et d'adaptation qu'impose le changement comme quelque chose de difficile à supporter. Évidemment, il ne s'agit pas de dire qu'il est en tout temps et en toutes circonstances facile de procéder à des changements. Toutefois, en en comprenant mieux le processus et en apprenant à se poser les bonnes questions, il est plus facile d'apporter de tels changements tout en maintenant le niveau de stress à une intensité relativement basse. C'est pourquoi il est important d'y consacrer tout un chapitre dans un livre sur le stress ! Mais avant d'apporter un changement dans votre vie, vous devez vous demander ce que cela signifie pour vous.

EXERCICE DE RÉFLEXION 12 : À QUOI VOUS FAIT PENSER LE MOT « CHANGEMENT » ?

Quels sont les mots, les expressions, les images et les comportements qui vous viennent à l'esprit lorsque vous prononcez le mot *changement* ?

____

____

____

Voilà des indicateurs importants de l'interprétation que vous vous faites du changement ! Maintenant que vous connaissez mieux ce qu'il vous inspire, votre interprétation a-t-elle une connotation positive, neutre ou plutôt négative ?

- Pour vous, à quoi renvoie le mot *changement* ?
- Quels sont vos sentiments qui lui sont rattachés ?
- Ces sentiments sont-ils positifs ou négatifs ?

Si vous avez noté en majorité des termes négatifs (par exemple : stressant, bouleversant, perturbant), vous aurez compris que vous associez un sentiment négatif au fait de devoir changer. Pour vous, le seul fait de devoir apporter des changements à votre vie pourrait être plus difficile, même si vous savez pertinemment que ce sera pour le mieux.

Nous avons tous une perception différente du changement.

Nous avons tous une perception différente du changement. Pour certains, il est favorable. Pour d'autres, il représente un défi. Pour d'autres encore, il a une connotation négative.

L'histoire de Madeleine

Madeleine raconte qu'elle a dû déménager une quinzaine de fois de 7 à 14 ans. Elle en a profondément souffert, n'ayant jamais pu se faire de véritables amis. Elle n'en avait jamais le temps, puisqu'elle était sans cesse contrainte de changer de lieu. Aujourd'hui, à l'âge adulte, elle a en horreur toute forme de changement. C'est cette crainte qui l'a amenée à choisir sa profession. Elle a aussi décidé de s'acheter une maison d'où, depuis 15 ans, elle n'a pas bougé.

Tout ce qui amène Madeleine à vivre un changement, elle le ressent comme un événement excessivement négatif, quasi traumatisant. Mais elle s'est retrouvée un jour en situation d'avoir à changer d'emploi : son entreprise fermait ses portes. Pour elle, cela signifiait non pas un défi, mais plutôt une horrible situation, un véritable bouleversement dans sa vie et la ramenait à ces expériences vécues dans son enfance, à cette souffrance intolérable qu'elle ne voulait pas revivre.

TEST : COMMENT PERCEVEZ-VOUS LE CHANGEMENT ?

1. Vous subissez une restructuration dans votre milieu professionnel, ce qui implique certaines modifications dans vos tâches quotidiennes :

a) Vous êtes motivé par la nouveauté que cela apporte.
b) Vous demandez des explications aux personnes concernées (patrons, personnes à l'origine de ces changements).
c) Vous cherchez à comprendre le but et les attentes, puis vous tentez d'y répondre.
d) Vous réfléchissez aux conséquences de ces modifications sur la qualité de votre vie professionnelle.

2. Si un ami annule une invitation que vous lui aviez faite :

a) Vous voulez savoir pourquoi. Vous cherchez les raisons de ce retournement.
b) Vous vous demandez s'il agit souvent comme cela, vous appelez des amis communs afin de valider l'information.
c) Vous cherchez ce que vous pouvez faire à la place pour vous amuser.
d) Vous vous interrogez sur la cause de son empêchement.

3. Vous devez suivre un cours sur un sujet totalement inconnu :

a) Vous êtes emballé de découvrir ce nouveau sujet.
b) Vous demandez l'avis de certaines personnes qui s'y connaissent déjà.
c) Vous vous préparez à l'avance en faisant des recherches sur le contenu.
d) Vous analysez les bénéfices que vous procurera ce cours.

4. On vous propose un poste en région éloignée :

a) Vous vous voyez déjà explorer de nouveaux horizons.
b) Vous questionnez votre famille et vos amis sur ce qu'ils connaissent au sujet de cet endroit.
c) Vous téléphonez à une agence immobilière afin d'amorcer des démarches.
d) Vous faites une analyse des coûts et des bénéfices de cette option.

5. Un membre de votre famille ne se porte pas bien :

a) Vous téléphonez à un spécialiste pour prendre rendez-vous.
b) Vous en discutez avec vos proches et vous leur demandez leur avis.
c) Vous vous renseignez sur les symptômes physiques que vous observez chez lui et vous cherchez à connaître ce dont il souffre.
d) Vous tentez de cerner les conséquences de ces symptômes.

6. Vous perdez votre emploi de façon inattendue :

a) Vous entreprenez de chercher un autre poste, c'est pour vous une occasion d'expérimenter autre chose, un autre domaine.
b) Vous cherchez à en discuter avec des personnes qui ont vécu une situation semblable.
c) Vous vous focalisez sur les aspects positifs de la situation.
d) Vous cherchez à comprendre les raisons de cette perte d'emploi.

7. Une idée que vous avez émise dans une réunion n'a pas été retenue :

a) Vous argumentez et cherchez tout de même à faire accepter votre idée.
b) Vous conservez votre idée pour une autre réunion.
c) Vous en acceptez le rejet d'autant plus facilement que le refus vous apparaît justifié.
d) Vous vous interrogez sur les raisons pour lesquelles votre idée n'a pas été retenue.

8. Un collègue arrive au travail avec une tenue inappropriée :

a) Cela vous amuse, vous le trouvez très osé.
b) Vous en parlez avec les autres employés.
c) Vous lui faites savoir que vous préférez grandement ce qu'il portait hier.
d) Vous ne faites aucun commentaire.

9. La route que vous empruntez habituellement pour vous rendre au bureau est bloquée :

a) Vous faites demi-tour et vous prenez un autre itinéraire.
b) Vous cherchez quelles explications justifieront votre retard.
c) Vous cherchez un moyen d'annoncer votre retard.
d) Vous vous demandez en quoi cette situation peut être avantageuse pour vous.

10. Vous apprenez à la dernière minute que vous devez animer la réunion matinale :

a) Vous êtes heureux qu'on vous confie une telle responsabilité, ce sera une nouvelle expérience.
b) Vous vous questionnez sur les buts et les attentes de la réunion.
c) Vous relevez les points importants liés à l'objectif de la réunion.
d) Vous vous demandez comment vous allez vous y prendre en ce qui a trait aux procédures à suivre.

Résultats

Nombre de A x 10 =
Nombre de B x 10 =
Nombre de C x 10 =
Nombre de D x 10 =

Interprétation des résultats

Vous avez une majorité de A : Le changement est pour vous *une aventure*.

Si vous avez obtenu une majorité de réponses A, il y a fort à parier que vous êtes de ceux qui perçoivent le changement comme une aventure. Cela signifie que vous n'en avez pas peur. Au contraire, le changement représente pour vous une occasion d'expérimenter et de découvrir de nouvelles choses. Vous appréciez que les choses bougent et qu'il y ait de l'action dans votre vie.

Vous avez une majorité de B : Le changement est pour vous une occasion de *sonder*.

Si vous avez obtenu une majorité de réponses B, vous percevez le changement comme une occasion de sonder l'opinion des gens. En situation de changement, vous questionnez votre entourage. Vous cherchez à savoir ce que les autres pensent, vous faites votre petit sondage. Vous aimez donc connaître l'avis des gens, ainsi que le verdict d'un spécialiste. Toutefois, lorsque vous obtenez beaucoup d'informations différentes et qui semblent contradictoires, cela peut vous rendre la tâche difficile en ce qui concerne le changement en question. Vous auriez intérêt, dans certains cas, à vous fier à vos propres impressions.

Vous avez une majorité de C : Le changement est pour vous un *objectif*.

Si vous avez obtenu une majorité de réponses C, vous êtes probablement stimulé par l'atteinte d'objectifs. Vous aimez vous réajuster et revoir les plans en cours de route, l'important étant pour vous d'atteindre les résultats visés. Vous êtes donc prêt à revoir vos méthodes dans le but de vous améliorer. Il se peut cependant, puisque vous êtes très préoccupé par l'atteinte de vos objectifs, que des détails vous échappent. Il serait donc important de leur porter une attention particulière.

Vous avez une majorité de D : Le changement est pour vous matière à *réflexion*.

Si vous avez obtenu une majorité de réponses D, vous percevez sans doute le changement comme un objet d'analyse, comme une activité de réflexion. C'est-à-dire que vous aimez recueillir les données importantes liées au changement pour les analyser en profondeur par la suite. Il est essentiel pour vous, lorsque vous amorcez un changement, d'en connaître le plus possible sur ce que cela implique et sur la situation. Vous recourez à votre esprit analytique pour explorer en profondeur les informations que vous avez recueillies. Puis, vous vous faites une idée des répercussions qu'apportera ce changement dans votre vie.

Prendre conscience que le changement modifiera notre vie est déjà un grand pas.

On a beau vouloir prévoir le plus de choses possible,
une chose est sûre : rien n'est jamais certain.

DEUX ÉLÉMENTS DÉTERMINANTS EN MATIÈRE DE CHANGEMENT

Analysons deux éléments déterminants en lien avec le changement.

Le contexte

À notre époque, nous sommes de plus en plus appelés à traverser des périodes de transition. Une étude récente confirme que, en moyenne, un jeune de 20 ans changera sept fois d'emploi au cours de sa vie. Nous assistons d'ailleurs de plus en plus à des changements de rôles: non seulement nous changeons d'emploi, mais nous devons aussi souvent repenser notre carrière. Changer de carrière peut mener à un changement de lieu de résidence, mais aussi entraîner des modifications dans notre situation financière et notre mode de vie. Nous sommes appelés à faire des choix professionnels, et ces changements nous font entrer en relation avec une multitude de nouvelles personnes.

Les facteurs intérieurs

Le temps qui passe apporte lui aussi des changements, une évolution de l'individu. On ne pense pas de la même façon à 18 ans et à 40 ans. Cela entraîne des modifications dans notre perception de la vie, dans notre façon de réagir face aux événements et même sur le plan de nos besoins. Vieillir nous confronte continuellement à des changements. Par exemple, nous devons nous adapter à l'évolution des technologies. Pour certaines personnes, cela sera très motivant, alors que, pour d'autres, elles seront perçues comme une menace.

QU'EST-CE QUE LE CHANGEMENT?

Pour qu'il y ait un changement, un élément nouveau doit venir rompre l'équilibre d'une situation donnée. Il y a donc une différence entre deux états: la situation actuelle et la situation résultante.

Autrement dit, le changement correspond au passage d'un état à un autre. Analysons le changement à l'aide de l'illustration suivante.

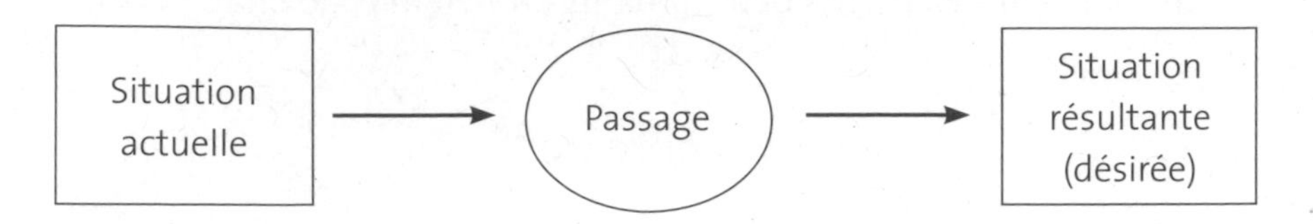

L'histoire de Martin

Peu après sa rupture amoureuse, Martin raconte son histoire. Il a passé ces 10 dernières années avec Rachel. Le jour où elle l'a quitté, Martin a été bouleversé et totalement désarçonné. Il ne s'attendait absolument pas à ce que sa conjointe mette fin à leur relation. Martin s'est retrouvé devant un immense vide émotif et dans une grande détresse. Cette phase de changement constituait le passage de la situation de vie de couple à sa nouvelle situation de célibataire. Il se retrouvait seul et ce n'était certes pas son désir.

En mode de changement, il y a toujours une période de transition, c'est-à-dire une période où nous devons nous adapter à une nouvelle condition de vie. Ce changement qu'a connu Martin l'a obligé à s'adapter. Au quotidien, cela signifiait qu'il devait s'habituer à dormir seul, à se lever seul, à avoir de nouvelles activités avec ses amis, à ne plus fréquenter la famille de sa conjointe, à ne plus avoir de discussions avec elle, etc.

Dans le processus de tout changement survient une grande période d'adaptation. Pour certaines personnes, c'est plus difficile, car elles ont tendance à résister à ces bouleversements. Plus nous résistons en nous attachant à la situation passée, plus le passage vers la nouvelle situation est ardu.

Ainsi, plus Martin s'accrochait à l'idée de retrouver son ex-conjointe, plus il se faisait mal. Pour Rachel, la relation était bel et bien finie, ils avaient atteint un point de non-retour. Mais Martin n'acceptait pas cet état de fait. Il résistait au changement, et ressentait énormément de tristesse. Il s'accrochait à l'idée qu'il pourrait reconquérir Rachel.

LES TROIS RAISONS PRINCIPALES POUR AMORCER UN CHANGEMENT

Il faut plusieurs raisons pour amorcer un changement. Les trois principales sont : l'insatisfaction, la nécessité et la contrainte.

L'insatisfaction

Lorsque nous sommes insatisfaits d'une situation, cela nous stimule et provoque en nous le désir d'amorcer un changement. Nous l'enclenchons souvent de nous-mêmes lorsque nous sommes insatisfaits. Dans l'exemple précédent, Rachel ressentait beaucoup d'insatisfaction. Elle a donc décidé de déclencher un changement qui, dans ce cas, était la rupture de la relation.

La nécessité

Souvent, nous nous passerions bien de certains changements, mais il est parfois indispensable de passer à l'action. La nécessité de changer devient impérative et amène davantage de compréhension et d'acceptation. Par exemple, si vous avez un taux de cholestérol très élevé et que vous ne changez rien à certaines habitudes alimentaires, vous risquez fort d'avoir à subir une opération pour débloquer vos artères. Vous amorcerez donc probablement un changement de mode de vie sous l'effet de la nécessité. Il n'est pas forcément nécessaire que vous soyez motivé, mais vous comprenez que vous n'avez pas d'autre choix que de changer, que c'est nécessaire si vous voulez améliorer votre santé.

La contrainte

La contrainte n'est pas favorable. Elle représente plutôt l'obligation de changer. Elle peut susciter de la résistance. Et c'est exactement ce qui est arrivé à Martin. Il était dans une situation contraignante. Il s'est vu obligé de réagir à ce changement, parce que sa conjointe en avait décidé ainsi. Pour Rachel, le changement était motivé par l'insatisfaction, tandis que Martin n'a pas eu le choix. Lorsque nous sommes contraints de faire face à un changement, cela peut provoquer de la résistance, car ce n'est pas forcément le choix que nous aurions fait.

Dans ces quelques pages, nous avons parlé des changements à apporter dans notre vie pour l'améliorer de façon significative et réduire notre stress. Il est à présent temps de passer à l'action.

Voici quelques questions pour vous guider :

- Que se passe-t-il exactement dans votre vie, actuellement ?
- Quel est le problème ?
- Qu'est-ce qui vous préoccupe ?
- Y a-t-il d'autres personnes concernées par cette situation ?
- Quel est le prix à payer si vous ne changez pas, pour vous et pour vos proches ?

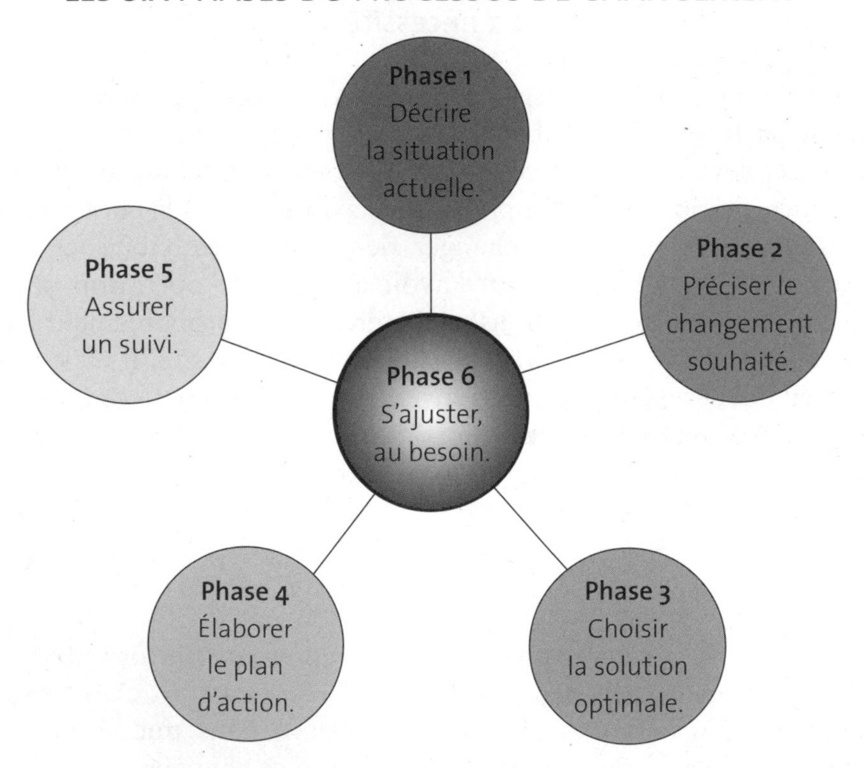

Phase 1 : Faites le point sur votre situation actuelle

Pour commencer, vous devez décrire votre situation actuelle. Ainsi, en analysant votre situation, il est possible de faire un examen approfondi de votre réalité. Bien souvent, c'est ce faisant que nous nous rendons compte qu'il vaut mieux procéder à des changements.

Vous devez également définir avec précision quels avantages il y a à changer quelque chose dans votre vie. Quels sont les principaux éléments qui justifient de faire un changement ? Quels sont vos besoins, vos attentes, vos exigences ? Comment définiriez-vous l'objectif à atteindre dans le but de réduire votre stress ?

Phase 2 : Précisez le changement que vous envisagez de faire

C'est le moment de préciser le ou les changements envisagés. Revenez à la méthode SMART utilisée plus tôt (voir p. 146). Grâce à cet outil, vous pouvez déterminer les changements que vous visez, mais aussi vous fixer des objectifs.

- Quel aspect de votre situation doit changer ?
- Jusqu'où êtes-vous prêt à aller pour effectuer ce changement ?

Phase 3 : Définissez la solution optimale

Avant de choisir quelle serait la solution optimale, vous devez ouvrir l'éventail des différentes solutions qui s'offrent à vous et en faire la liste.

Les questions suivantes vont vous y aider :

- De quelle manière différente pouvez-vous aborder votre problème ?
- Que pourriez-vous faire différemment, dans votre vie, pour diminuer votre stress ?
- Si l'occasion de recommencer votre vie se présentait, qu'est-ce que vous feriez ?
- Si vous n'aviez aucune contrainte, aucune embûche, si tout était possible, comment referiez-vous votre vie ?

Afin de trouver la meilleure solution, il est indispensable de recourir à l'analyse coûts-bénéfices. Ici, il convient de déterminer quels sont les avantages et les inconvénients de chacune des solutions envisagées.

- Est-ce réaliste ?
- Est-ce que la solution ou chacune des solutions énoncées va amener le changement recherché ou entraîner encore plus de contraintes ?

Ces questions vous permettront de déterminer quelle solution est susceptible de donner le meilleur résultat et de vous apporter le plus de satisfactions, tout en contribuant aussi, bien entendu, à réduire votre stress.

Phase 4 : Élaborez un plan d'action

Le temps est venu d'élaborer votre plan d'action. Qui dit changement dit être capable de suivre différentes étapes, d'établir un plan d'action pour atteindre l'objectif visé : changer notre façon d'aborder la vie, notre façon de gérer notre stress.

Outil d'intégration 7 : Plan d'action pour réaliser un changement

Date :
Le contexte (description de la situation actuelle) : • • •
L'objectif d'amélioration (description de la situation souhaitée) : • • •
Mise en place du processus de changement (application des solutions optimales retenues) : • • •

Solution 1 :
Personnes en cause :
Quoi (actions précises à réaliser) :
Quand (échéance) :
Date du suivi :
Commentaires :
Solution 2 :
Personnes en cause :
Quoi (actions précises à réaliser) :
Quand (échéance) :
Date du suivi :
Commentaires :
Solution 3 :
Personnes en cause :
Quoi (actions précises à réaliser) :
Quand (échéance) :
Date du suivi :
Commentaires :
Inscrire les *bénéfices recherchés* par les changements à réaliser :

- Quelles sont les différentes étapes nécessaires à la réalisation du changement voulu dans votre vie ?
- À quels moyens devez-vous recourir ?
- Quelle est la première étape qui permettra d'enclencher le processus ?
- Est-il possible de morceler votre objectif en plusieurs petits buts, de façon à ne pas vous décourager et à atteindre tranquillement le résultat désiré ?

Il serait complètement utopique de penser qu'on peut escalader le mont Everest en une journée. Les gens qui entreprennent ce type d'escalade se fixent de petits objectifs, par exemple atteindre d'abord le camp de base, puis un second camp un peu plus loin, etc. Il en va de même lorsque vous déterminez vos objectifs. En morcelant votre objectif en plusieurs sous-objectifs, vous verrez le changement se concrétiser étape par étape et vous augmenterez ainsi vos chances de succès.

Phase 5 : Faites le suivi de votre plan d'action

Voici le moment de veiller à mesurer les résultats que vous avez atteints. Voici quelques questions pour faire ce suivi :

- Les solutions que vous avez choisies ont-elles donné les résultats escomptés ?
- Les changements apportés vous permettent-ils d'obtenir les résultats souhaités ?
- Avez-vous atteint l'état désiré ?

Vous vous rendrez peut-être compte que certains changements ne sont pas forcément pour le mieux. D'où l'importance d'assurer un suivi et de vous poser la question suivante : « Est-ce que ce changement m'a apporté quelque chose de significatif et m'a-t-il permis d'atteindre un meilleur équilibre de vie ? »

Phase 6 : Ajustez votre plan d'action

Dans le cas où vous ne seriez pas satisfait des résultats obtenus à la phase 5, il convient d'ajuster votre démarche pour la rendre plus efficace. Les différentes questions que vous pouvez vous poser sont notamment les suivantes :

- Que devriez-vous faire de plus pour vous approcher de votre objectif et pour obtenir un meilleur résultat ?
- Qu'est-ce qui aurait pu être différent ?
- Qu'est-ce qui aurait tout intérêt à être différent ?
- Qu'est-ce que vous n'avez pas fait pour vous approcher de votre objectif ?
- Quelle nouvelle action pouvez-vous envisager pour vous approcher de votre objectif ?

LA PYRAMIDE DU CHANGEMENT

Cette pyramide, illustrée à la page suivante, propose cinq questions importantes à vous poser au sujet de la réalisation d'un changement. Elle vous assure de rester centré sur les aspects positifs que le changement va vous procurer, tout en vous guidant vers le choix d'une attitude gagnante !

La pyramide du changement
Cinq questions à se poser pour aborder le changement différemment

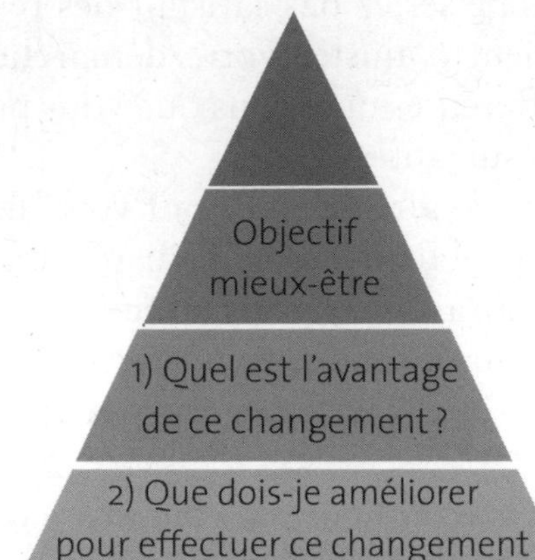

Notes
Que retenez-vous de la lecture de ce chapitre ? Quelles sont les prises de conscience qui vous inciteront à agir différemment ? Que ferez-vous à l'avenir ?

Programme de remise en forme psychologique en 21 jours

À cette étape de votre lecture, vous êtes déjà mieux outillé pour faire face au stress et aux changements dans votre vie quotidienne. Toutefois, votre démarche ne s'arrête pas là, et je vous offre un petit quelque chose de plus : un programme de remise en forme psychologique en 21 jours.

Lorsque nous décidons de faire des changements dans notre vie, il est important de décider à quel moment tout cela va commencer, où le processus doit s'enclencher. La remise en forme psychologique est l'un de ces moments privilégiés qui vous permettront de mettre en application les outils découverts dans cet ouvrage, mais aussi d'aller un peu plus loin, grâce à des trucs et des façons de faire très simples à appliquer au cours des 21 prochains jours.

Toutefois, une mise en garde s'impose ! Certaines personnes, fort curieuses, auront sûrement tendance à vouloir parcourir les directives des 21 jours d'un seul coup… De grâce, abstenez-vous de le faire ! Soyez raisonnable et allez-y lentement mais sûrement ! Si vous lisez tous les exercices d'un seul trait, vous risquez de ne pas les mettre en application et de vous priver de la chance de les intégrer progressivement.

Je vous invite plutôt à découvrir le contenu des exercices proposés jour après jour, sans brûler les étapes, et surtout en faisant réellement l'exercice proposé pour cette journée-là. Pour constater des résultats, misez sur cette méthode.

Jour 1 : Achetez-vous un journal de remise en forme psychologique

Pour commencer du bon pied, il vous faut un outil qui vous sera utile tout au long de votre démarche. C'est un peu l'équivalent d'un abonnement au gym. Si vous décidez de vous remettre en forme physiquement, vous vous mettez à magasiner de nouvelles chaussures de sport, des vêtements d'entraînement, etc. En fait, vous voulez faire peau neuve pour cette étape importante.

Donc aujourd'hui, c'est le jour où vous devez vous procurer votre journal de remise en forme psychologique. Dans ce journal, vous écrirez et ferez les exercices proposés chaque jour et, au terme des 21 jours, lorsque ce journal sera rempli, il constituera un outil précieux à conserver pour vous y référer au besoin.

Je n'ai aucune suggestion particulière à vous faire quant au format ou à la couleur. Ma seule recommandation est de choisir un cahier qui vous convienne, dans lequel vous aurez envie de noter des choses, de faire les exercices proposés et que vous aurez envie de consulter de nouveau pour revoir les exercices qui vous auront permis de vous remettre en forme.

Exercice du jour 1

Le tout premier exercice est donc de prendre plaisir à acheter ce journal. Choisissez-le avec soin. Faites-en une activité très agréable, parce que c'est important. N'oubliez pas que vous achetez un journal où vous noterez les pensées et les événements importants à vos yeux. Il s'agit donc d'un outil qui vous permettra d'évoluer, de cheminer.

Faites donc ce premier exercice avec beaucoup de plaisir et non pas à la sauvette, en entrant dans le premier magasin à rabais qui se présente et prendre le premier cahier qui vous tombe sous la main. Vous méritez mieux que ça. Faites de cette activité un moment privilégié... Au fil des jours, vous verrez que la bonne forme psychologique suppose que vous tiriez du plaisir à effectuer chacune des activités.

Trop souvent, dans la vie, nous courons, nous nous adonnons à des activités par obligation, à toute vitesse, parce que nous ne pensons qu'aux objectifs. Si nous nous fixons de beaux objectifs, la route qui y mène doit toujours être agréable. Malheureusement, trop souvent, nous ne cherchons qu'à atteindre le but, sans prendre le temps de savourer le parcours. Et lorsque l'objectif est atteint, nous n'en tirons pas la satisfaction souhaitée.

Il faut que le chemin pour atteindre la remise en forme psychologique soit agréable, et ce, autant que le but à atteindre. Prenez donc votre temps, choisissez un journal qui sera à votre goût et dans lequel vous aurez envie de travailler.

JOUR 2 : COMMENCEZ À ÉCOUTER VOTRE DISCOURS INTÉRIEUR

Nous avons vu que les émotions que nous vivons sont causées par les idées que nous entretenons. Notre « cassette » intérieure fait que nous nous sentons plus ou moins bien. Les pensées que nous entretenons nous influencent au quotidien.

EXERCICE DU JOUR 2

Tentez de déterminer, au cours de la journée, trois moments où vous vous laissez aller à des émotions agréables, ou désagréables. Pour ce faire, mettez-vous à l'écoute de votre discours intérieur et prenez-le en note.

Prendre en note ne veut pas dire écrire un roman, mais plutôt coucher sur papier quatre ou cinq grandes lignes qui résument bien chacun de ces trois moments. Le but est de tenter de répertorier ce que vous vous êtes dit à tel ou tel moment précis.

Si, par exemple, au cours de la journée, vous vous rendez compte que vous avez un moment de joie grâce à une bonne nouvelle, certaines idées sont obligatoirement en train de vous passer par la tête, par exemple : « C'est une bonne chose, ce qui m'arrive... »

Le but de cet exercice est de vous habituer à être attentif à votre discours intérieur. Lorsque nous avons des émotions agréables, il n'y a aucun problème, le discours intérieur est très favorable, positif. Mais lorsque nous nous laissons aller à des émotions telles que la colère, l'impatience ou le stress, dont j'ai abondamment parlé, le discours intérieur devient négatif et souvent irréaliste. Donc, trois fois au cours de la journée, je vous invite à répertorier les idées qui vous traversent l'esprit. Par exemple, lorsque vous êtes coincé dans le trafic, vous constatez que vous vous laissez aller à l'impatience, à l'irritation. Qu'êtes-vous en train de vous dire ?

En vous habituant à prendre conscience de votre discours intérieur, vous comprendrez mieux comment il est possible ensuite d'améliorer ce que vous vous dites... Tant que vous n'arriverez pas à préciser vos propos, vous ne pourrez pas agir sur votre discours, et vous ne pourrez donc pas agir sur vos émotions de manière à en avoir de plus agréables. Évidemment, vous n'avez peut-être pas l'habitude de vous écouter penser. En étant davantage attentif à ce qui se passe à l'intérieur de vous, aux pensées qui défilent dans votre tête, cela deviendra de plus en plus facile.

Jour 3 : Remplacez les idées négatives par de nouvelles pensées

Si, au jour 2, vous avez choisi de noter trois moments d'émotions agréables, bravo ! Toutefois, je sais pertinemment que, comme la majorité des gens, vous vous serez attardé à des moments où les idées étaient plutôt négatives. Donc, en ce jour 3, c'est le temps de remplacer votre discours négatif, les idées négatives, par de nouvelles idées.

Exercice du jour 3

Reprenez les trois discours intérieurs que vous avez répertoriés au jour 2 afin de les reformuler sous forme de nouvelles idées. En d'autres mots, voyez ce que vous auriez eu avantage à vous dire pour ressentir des émotions plus agréables.

Par exemple, après avoir été pris dans la circulation, vous avez écrit dans votre journal que vous avez ressenti de l'impatience, de l'irritation, que vous vous êtes dit : « Ça n'a pas de bon sens, c'est l'enfer, c'est incroyable, pourquoi le trafic est-il toujours si dense ? »

Voyons maintenant ce que vous auriez pu vous dire à ce moment précis pour mettre un terme à cette impatience ou pour diminuer l'intensité de l'émotion. Auriez-vous eu intérêt à vous dire : « Qu'est-ce que ça me donne de m'en faire ? Puis-je y changer quelque chose ? Non. Alors, j'ai tout intérêt à l'accepter, à écouter de la musique, à trouver une meilleure disposition d'esprit. Est-ce que l'attitude que j'adopte en ce moment est la meilleure, compte tenu du contexte et des circonstances ? »

Si vous prenez l'habitude d'être constamment à l'écoute de votre discours intérieur et de tenter de changer les idées négatives qui se présentent à vous en phrases plus réalistes ou positives, vous constaterez un changement sur le plan émotif. Et n'est-ce pas votre but ? Vous cherchez à être plus heureux, comme nous tous. Et qui dit être plus heureux, dit ressentir des émotions agréables le plus souvent possible.

Jour 4 : Vivez dans le moment présent

Nous avons abondamment parlé de la résistance aux changements que certains d'entre nous ressentent à diverses occasions. Certaines personnes sont plus susceptibles que d'autres de vivre du stress. Toutefois, nous savons dorénavant que, pour ressentir moins de stress, il faut être capable de vivre dans le moment présent, mais cela peut être tout un défi pour bon nombre de personnes.

Tellement de gens sont passés maîtres dans l'art de se faire des tracas avec des événements passés ou… à venir. Nous nous inquiétons de ce qui est arrivé hier, du fait que nous n'aurions peut-être pas dû agir ainsi ou dire cela. Ou alors nous appréhendons ce qui va arriver demain ou dans les semaines à venir. Nous ne sommes jamais en train de vivre dans le moment présent. Nous finissons ainsi par être angoissés, et c'est tout à fait normal.

Combien de fois ai-je entendu : « Oh, ça ira mieux demain ! » Demain ? Personne ne sait s'il sera encore de ce monde, demain. Vous allez me dire : « Mais oui, c'est sûr que je serai encore là demain… » En êtes-vous si certain ?

Mark Twain disait, avec l'humour qu'on lui connaît : « J'ai connu des moments terribles dans ma vie, dont certains se sont vraiment produits. » Quelle belle phrase pour nous faire comprendre que les scénarios que nous nous faisons, comme je l'ai déjà indiqué plus haut, ne se produisent jamais dans 95 % des cas. Dites-vous que 95 % des choses que vous appréhendez ne se produiront jamais. Imaginez toute l'énergie gaspillée !

Exercice du jour 4

Aujourd'hui, tentez de vivre dans le moment présent, de savourer chaque instant comme si vous viviez votre dernier jour.

Pour ce faire, plusieurs fois au cours de la journée (au moins cinq fois), posez-vous la question suivante : « Suis-je en train de savourer l'instant présent ? » Vous pouvez vous aider en prenant de grandes respirations et en vous répétant : « Je suis ici et je profite maintenant de l'instant présent. » De plus, vous concentrer sur chacun de vos gestes comme si c'était la première fois que vous les faisiez peut également vous aider. Je vous incite même à redécouvrir les gens de votre entourage en les regardant comme si c'était la première fois que vous les voyiez. À la fin de la journée, notez vos observations dans votre journal.

Vous prendrez rapidement conscience qu'il est très souvent facile de se perdre dans ses pensées, puis d'être en train de revivre ce qui s'est passé hier ou de penser à ce qui arrivera demain. Il est important de se ramener au moment présent.

JOUR 5 : DÉDRAMATISEZ LES ÉVÉNEMENTS QUOTIDIENS

Dans mon premier livre, *Émotion, quand tu nous tiens !*, un chapitre s'intitule « L'échelle de la catastrophe » ; l'exercice de ce jour y fait référence. Je vous invite donc à vous poser la question suivante : « Ce qui vient de m'arriver aujourd'hui aura-t-il la même importance dans un an ? »

Au cours d'une journée, nous sommes amenés à vivre des choses et des événements qui nous irritent, qui nous causent des émotions désagréables, mais, avec le recul, nous finissons par nous rendre compte que ce n'était finalement pas si grave que nous l'avions ressenti sur le moment.

L'échelle de la catastrophe est donc un outil extraordinaire pour nous aider à relativiser ce qui advient, tout comme le dit cette phrase : « Ce qui vient de m'arriver aujourd'hui aura-t-il la même importance dans un an ? », qui aura le même effet. Cette idée peut nous amener à nous rendre compte que nous sommes en train de faire tout un plat avec cet événement qui vient de survenir.

EXERCICE DU JOUR 5

Inscrivez cette phrase dans votre cahier et réfléchissez-y ! Notez des situations survenues au cours des dernières semaines, que vous avez dramatisées, mais qui vous semblent aujourd'hui déjà moins graves que vous ne le croyiez. Vous allez en trouver. Pensez-y bien. Il y a quelques semaines, sur le coup, vous avez peut-être exagéré l'ampleur ou les effets de l'événement, mais maintenant, avec du recul, vous êtes capable de le voir d'un autre œil.

À partir d'aujourd'hui, prenez l'habitude de vous poser cette question : « Ce qui vient de m'arriver aujourd'hui aura-t-il la même importance dans un an ? »

Jour 6 : Faites une activité qui vous fait plaisir

Ce jour est placé sous le signe de la joie. Vous allez vous permettre d'avoir une activité que vous n'avez pas faite depuis longtemps et qui vous procure du plaisir.

Pour une fois, je vais vous donner l'exemple ! Cet été, à la dernière minute, j'ai décidé d'aller à La Ronde. Je n'y étais pas allée depuis plusieurs années. J'ai ressenti toute une excitation, simplement en me rendant dans ce parc d'attractions, puis en y entrant, et en faisant des tours de manège. J'ai passé une soirée magnifique.

Faire une activité qui vous fait plaisir ne signifie pas nécessairement que vous devez aller vous amuser à La Ronde. Il peut s'agir de prendre un long bain avec un bon livre, de faire une grande promenade avec votre conjoint... Choisissez ce qui vous fait vraiment plaisir !

Trop souvent, nous oublions de faire des choses que nous aimons, tout simplement parce que nous passons nos journées à courir, parce que la vie va vite, parce que nous avons des obligations, un horaire serré. Il vaut la peine de s'arrêter pour se demander pourquoi nous courons ainsi.

Votre but, dans la vie, n'est-il pas d'avoir du plaisir, de savourer chaque jour qui se présente comme si c'était le dernier ? S'il ne vous restait qu'une journée à vivre, aimeriez-vous la passer en étant stressé et en courant ou, au contraire, ne consacreriez-vous pas vos dernières heures à vous faire plaisir ?

Exercice du jour 6

Qu'allez-vous faire aujourd'hui pour vous faire plaisir ? Prenez 15 minutes, une heure ou une soirée consacrée à une activité qui vous procure du plaisir. Cela peut être d'aller au cinéma, de jouer avec vos enfants, etc. Évidemment, vous avez pleinement le droit de répéter l'exercice du jour 6 chaque jour ! En effet, compte tenu du rythme accéléré de nos journées, il est très sain de s'assurer d'avoir chaque jour un moment pour le ralentir, et avoir du plaisir est une bonne façon de le faire !

Aujourd'hui, vous allez être attentif aux événements positifs qui surviennent. Cela n'a pas besoin d'être un événement extraordinaire, par exemple de gagner au Loto 6/49. Il peut s'agir de choses simples et d'apparence banale, par exemple un compliment formulé par votre conjoint, un remerciement que vous a adressé un collègue au travail, le sourire d'un inconnu dans la rue. Certaines personnes pourraient simplement écrire: « Il a fait soleil aujourd'hui, et pour moi ç'a été une bonne chose dans ma journée ! »

Si vous vous attendez à vivre des événements de grande importance tous les jours, vous risquez fort d'être déçu. Il est plus réaliste de penser qu'il se présente chaque jour des raisons de vous réjouir. Ainsi, vous découvrirez que vous avez une vie intéressante.

Donc, même si cela peut être des banalités, si vous vous attardez aux choses positives, vous accorderez moins de place aux petites difficultés du quotidien. Ces petites difficultés existeront toujours, alors pourquoi leur donner une importance qu'elles n'ont pas ? Certaines personnes sont passées maîtres dans l'art de ne voir que la petite bête noire, de rester accrochées à un seul petit problème parmi tout ce qui a constitué leur journée.

Dans *Arrosez les fleurs, pas les mauvaises herbes,* Fletcher Peacock[14] nous invite à nous poser les deux questions suivantes: « Est-il plus utile d'avoir des problèmes ou de profiter des bonnes occasions ? Est-il plus utile de connaître des échecs ou de faire des apprentissages ? »

Tout réside dans l'art de percevoir une situation donnée. Certaines personnes ont le don de se poser les bonnes questions, sont capables de mettre l'accent là où il le faut, et cela fait toute la différence.

Dans une situation difficile, si vous vous posez la question: « Que puis-je en apprendre et en tirer, comme leçon ? », vous êtes en train de vous focaliser sur le bon point, vous faites ressortir le positif de la situation, si minime soit-il.

---

14. Fletcher Peacock, *Arrosez les fleurs, pas les mauvaises herbes,* Montréal, Les Éditions de l'Homme, 1999.

EXERCICE DU JOUR 7

Effectuez cet exercice en fin de journée : juste avant de vous mettre au lit, prenez votre journal et faites une liste des moments positifs que vous avez vécus au cours de la journée. Répertoriez 10 choses positives qui se sont produites aujourd'hui. Dix ! Certains trouveront que c'est beaucoup. Mais en notant de petites choses, vous constaterez que 10 choses positives, c'est facile à trouver, dans une journée.

JOUR 8 : RÊVEZ UN PEU

Aujourd'hui, vous allez utiliser un peu plus votre journal. Je vous demande de vous laisser aller, de prendre 15 minutes, une demi-heure s'il le faut, pour y inscrire tous vos rêves secrets. Si vous étiez assuré de tout pouvoir réussir, que feriez-vous aujourd'hui, demain, dans les semaines et les mois à venir ? Quels sont les rêves que vous avez laissés de côté parce que vous vous êtes dit que, de toute façon, vous n'y arriveriez jamais ?

EXERCICE DU JOUR 8

Notez vos rêves, mais répondez aussi à la question : « Si j'étais sûr de réussir, que ferais-je demain matin pour atteindre mon objectif ? »

JOUR 9 : CROYEZ QUE C'EST POSSIBLE !

Après avoir noté dans votre journal les rêves que vous avez abandonnés parce que vous les pensiez hors d'atteinte, je vous demande de croire maintenant qu'il est possible de les réaliser. Combien de choses ont été jugées impossibles jusqu'à ce que quelqu'un les réalise ?

Roger Bannister est le premier athlète de l'histoire de l'athlétisme à avoir couru le mille en quatre minutes. C'était dans les années 1950. Jusqu'alors, personne n'avait jamais réussi à courir cette distance (1 600 mètres) en ce temps record. Lorsque les journalistes lui ont demandé comment il avait pu réussir cet exploit, il a répondu qu'il avait visualisé sa réussite, qu'il se voyait battre ce record et, bien évidemment, qu'il s'était entraîné très fort.

Ce qui est le plus remarquable dans cette histoire, ce n'est pas le fait que Roger Bannister ait établi un nouveau record, mais ce qui s'est passé ensuite. L'année suivante, une vingtaine d'autres athlètes ont réussi à courir le mille en moins de quatre minutes, et deux ans après, ils étaient plus de 200. D'après vous, que s'était-il passé ?

Ce n'est pas un hasard. En établissant ce record, Roger Bannister avait réussi à surmonter une barrière psychologique. Les autres, en constatant que quelqu'un y était parvenu, ont été stimulés et se sont mis à penser qu'eux aussi pouvaient y parvenir.

Qu'y a-t-il à retenir de cette anecdote ? Trop souvent, nous nous limitons, nous laissons nos rêves en suspens parce que nous nous croyons incapables de les réaliser, parce que nous ne croyons pas assez en nous. « Comment faire pour croire qu'on peut faire tout ce qu'on veut ? » demanderez-vous. Eh bien, reprenons cette anecdote ! C'est seulement à partir du moment où les autres coureurs ont vu Roger Bannister réussir qu'ils ont pensé que c'était possible.

Y a-t-il des choses que vous aimeriez faire ou réaliser, mais que vous vous êtes empêché de faire parce que vous avez douté de vos capacités, de votre réussite ? Si c'est le cas, regardez autour de vous, vous connaissez sûrement des gens qui peuvent vous servir d'exemples, qui réussissent à faire ce que vous aimeriez faire.

Exercice du jour 9

Faites la liste de quelques personnes de votre entourage ou même que vous ne connaissez pas personnellement, mais qui ont réussi le rêve que vous caressez. Puis inspirez-vous de ce qu'elles ont fait, de leur attitude, des moyens qu'elles ont mis en place pour y arriver.

Jour 10 : Contactez une personne qui a réussi à réaliser votre rêve

Maintenant que vous avez identifié une ou plusieurs personnes qui ont concrétisé le rêve que vous caressez, je vous invite à contacter une de ces personnes, par exemple pour l'inviter à dîner. Je vous entends déjà dire : « Mais, mon Dieu, ça n'a pas de sens, je ne peux quand même pas contacter un inconnu ! » Et pourquoi pas ?

Si vous êtes capable d'obtenir des conseils de cette personne, si vous pouvez lui demander sa recette pour réaliser le rêve que, vous, vous avez mis de côté, eh bien, vous avancerez beaucoup plus rapidement sur le chemin de la réussite.

Votre but est de déterminer quelle a été la stratégie de cette personne pour atteindre son objectif. En la connaissant, vous gagnerez un temps fou, parce qu'ainsi vous n'aurez pas à réinventer la roue. Vous aurez simplement à mettre en place la même stratégie. Ce qui a été efficace pour cette personne pourrait très bien l'être aussi pour vous. Et, bien souvent, vous serez surpris de la générosité des gens lorsque vous leur demandez de parler d'eux.

Pour vous confier une anecdote personnelle, lorsque j'ai pris la décision de donner des conférences, j'ai appelé quelques conférenciers et conférencières qui étaient des modèles pour moi. Je leur ai demandé comment ils en étaient arrivés là. À leur contact, j'ai appris une multitude de choses, mais j'ai surtout commencé à croire que, moi aussi, je pouvais le faire. Le chemin à parcourir pour arriver à mon but a commencé à m'apparaître avec clarté. Et ensuite je suis passée à l'action.

Exercice du jour 10

Contactez quelqu'un qui a accompli un rêve que vous avez laissé de côté.

Jour 11 : Déterminez un plan d'action

En cette journée, vous allez définir les étapes qui vous permettront de vous rapprocher de votre rêve, même si ce dernier ne peut se concrétiser que dans 10 ans.

Pour illustrer mon propos, voici l'histoire d'Anna. Elle disait qu'elle aimerait faire le tour du monde en voilier lorsqu'elle serait à la retraite. À l'époque où elle a énoncé ce désir, elle avait 42 ans et croyait que c'était impossible. Mais elle s'est bâti un plan d'action, en suivant bien son programme : commencer à croire que c'était possible, rencontrer quelqu'un qui avait déjà accompli ce qu'elle voulait faire, et se poser la question : « Quelles sont les étapes à franchir pour atteindre mon objectif, même si c'est un projet à long terme, qui ne pourrait se concrétiser que dans 10 ou 15 ans ? »

EXERCICE DU JOUR 11

Maintenant, c'est à vous de jouer! Définissez toutes les étapes qui vous amèneront à atteindre votre objectif. Après les avoir notées dans votre journal, recopiez-les sur une autre feuille que vous garderez à portée de main, en vous assurant qu'elle soit bien en vue tous les jours.

En couchant sur papier les différentes étapes nécessaires pour atteindre un objectif, vous augmentez vos chances de l'atteindre. Cela permet à votre idée, qui était abstraite dans votre tête, de se concrétiser un peu plus, et de prendre une certaine forme. Évidemment, ce n'est pas la forme finale, mais c'est un début. De plus, en le gardant continuellement sous les yeux, vous vous assurez de garder constamment votre but à l'esprit.

JOUR 12 : ATTARDEZ-VOUS AUX SOLUTIONS ET NON AUX PROBLÈMES

Maintenant, vous serez peut-être porté à dire : « J'ai fait mon plan d'action, mais je me rends compte qu'il y a plusieurs obstacles vraiment difficiles à surmonter. » Ce constat n'est guère surprenant. Si cela avait été facile, votre rêve serait déjà réalisé !

Reprenez donc la liste des étapes définies au jour 11, puis déterminez lesquelles seront selon vous les plus difficiles à franchir. Reprenez chacune de ces étapes, et posez-vous les questions suivantes : « Quelle est la solution ? Que puis-je faire pour franchir cette étape ? » Au lieu de vous focaliser sur les problèmes ou sur les obstacles que vous avez à surmonter, concentrez-vous sur les solutions à envisager.

Il s'agit simplement de poser les bonnes questions à votre subconscient, de concentrer votre attention sur les bons éléments. Il s'agit de porter votre attention sur ce que vous souhaitez, plutôt que de vous arrêter à ce qui ne fonctionne pas.

EXERCICE DU JOUR 12

Faites cet exercice le soir, avant de vous coucher. Endormez-vous sur cette pensée qu'on peut trouver des solutions à tout. On dit souvent que la nuit porte conseil et, en effet, très souvent, des solutions nous apparaissent au réveil.

Tentez de vous concentrer sur les solutions et non sur les problèmes. Cela ne veut pas dire que les obstacles disparaîtront, que la facilité sera au rendez-vous, mais essayez de cerner des solutions.

Trouvez une solution pour chaque problème soulevé et notez-les.

Jour 13 : Passez à l'action !

C'est bien de rêver, de rencontrer quelqu'un qui a réalisé votre rêve, de faire des plans, de trouver des solutions, mais rien de tout cela n'est utile si vous ne passez pas à l'action. Donc, relisez votre première étape et faites un pas dans cette direction…

Exercice du jour 13

Reprenons notre exemple du tour du monde en voilier… La première étape d'Anna a consisté à aller visiter des concessionnaires de voiliers pour comparer les prix. Si c'est également là votre rêve, eh bien, faites-le ! Prenez quelques heures et allez sur place. Déjà, vous faites un pas dans la bonne direction. Avoir une intention est une bonne chose, mais il faut des actions pour la concrétiser !

Exceptionnellement, en ce jour 13, je vous accorde la permission de lire les directives du jour 14.

Jour 14 : Passez en revue tout ce que vous appréciez dans la vie

En vous réveillant, avant même de sauter du lit, tout en gardant les yeux fermés, passez en revue toutes les choses que vous appréciez dans votre vie. Toutes ces choses pour lesquelles vous êtes reconnaissant : l'amour de votre conjoint ou de vos enfants, le travail que vous faites, les défis que vous relevez, le fait d'être en bonne santé, d'avoir un animal de compagnie que vous aimez. Bref, passez toute votre vie en revue et notez les points importants que vous aimez.

Ensuite, concentrez-vous sur ce que vous ressentez en sortant du lit. Je vous garantis que vous commencerez votre journée du bon pied. De plus, vous pouvez aussi amorcer votre journée en vous disant : « J'ai l'intention de passer une magnifique journée, d'avoir du plaisir et de m'amuser. » Simplement en vous disant cela, vous serez davantage disposé à rechercher ce qui se déroule bien et à agir aussi en conséquence.

EXERCICE DU JOUR 14

Notez tous ces éléments dans votre journal, et concentrez votre attention dessus. Cela changera des sempiternelles mauvaises nouvelles qu'on nous ressasse continuellement le matin à la radio : les morts, les accidents, la guerre, etc.

Notre subconscient est comme une éponge : il s'imbibe de tout ce que nous lui donnons. Alors alimentez-le de pensées positives, donnez-lui des idées nourrissantes, et votre état en sera grandement amélioré.

JOUR 15 : CROYEZ QUE RIEN N'ARRIVE POUR RIEN

Il y a quelques années, j'ai rencontré un homme du nom de W. Mitchell. À 24 ans, il a eu un accident de moto. Il avait dérapé et avait heurté le réservoir d'essence d'un camion qui a explosé. W. Mitchell a été brûlé sur l'ensemble de son corps et aussi au visage. Il a dû passer un an dans un centre pour grands brûlés, et apprendre à vivre avec sa nouvelle apparence. Quelques années plus tard, il a eu un autre accident, un accident d'avion, cette fois. Son appareil s'est écrasé et il s'est retrouvé paraplégique.

Cet homme, que j'ai eu le bonheur de rencontrer, donnait une conférence, et le principal propos qui en ressortait était le suivant : « Lorsque ça va mal dans votre vie, arrêtez de vous plaindre et de faire des drames pour rien, et pensez à moi. Mon corps est brûlé, je suis paraplégique, mais jamais je n'ai cru que ces accidents-là m'étaient arrivés pour rien. J'ai toujours pensé qu'il y avait une raison derrière tous ces drames. »

Je vous pose la question : « Quelle a été la croyance, le point pivot, qui a aidé W. Mitchell à vaincre et à surpasser ces drames ? » Il a simplement décidé d'accepter ce qui lui était arrivé, de l'utiliser à son profit, et ce, de toutes les manières possibles.

De la même façon, toutes les personnes qui réussissent ont la capacité étonnante de se concentrer sur ce qu'il est possible de faire dans une situation donnée. Elles se questionnent sur ce que la situation peut leur apporter d'enrichissant.

Aussi négative ou dramatique que soit la situation ou l'événement qui leur arrive, certaines personnes font preuve de résilience, c'est-à-dire qu'elles ont la capacité de surmonter des épreuves difficiles. Elles font preuve d'une grande force intérieure, la force de vie, qu'elles n'auraient pas soupçonnée jusque-là. On arrive souvent à se bâtir une capacité de résilience en entretenant cette idée : rien n'arrive pour rien !

Exercice du jour 15

En ce jour 15, commencez à croire que rien n'arrive pour rien dans la vie. Et posez-vous aussi toujours la question suivante : « Ce qui m'arrive aujourd'hui est-il réellement désavantageux pour moi ? Est-ce qu'il est possible que ce qui m'apparaît désavantageux aujourd'hui puisse devenir avantageux dans le futur ? »

Pensez à quelque chose que vous avez trouvé désolant sur le coup et qui s'est avéré une bonne chose par la suite. Vous vous en rendrez souvent compte, une situation ou un événement que vous aviez qualifié de mauvais pour vous est devenu, avec le temps, la meilleure chose qui pouvait vous arriver.

Le jour où vous commencerez à vraiment intégrer ce nouveau principe à votre schème de pensée, vous ne verrez plus votre vie de la même façon, et les situations ou les événements fâcheux ou difficiles le seront beaucoup moins, car vous serez toujours capable de les relativiser et de vous dire que rien n'arrive pour rien !

Jour 16 : Misez sur vos alliés

Depuis le début de votre remise en forme psychologique, je vous demande d'être attentif à votre discours intérieur, de remplacer vos idées négatives par de nouvelles idées, de vous focaliser sur des choses positives, de vivre dans le moment présent, de relativiser les événements du quotidien, d'arrêter de faire des drames avec des pacotilles et, surtout, de rêver et de faire un plan d'action pour concrétiser votre rêve. À ce stade, vous avez donc rencontré quelqu'un qui a fait ce que vous aimeriez faire.

Nous ne pouvons pas espérer avoir une vie meilleure et être plus heureux si nous ne misons pas avant tout sur nos alliés. Comme vous allez souvent vous en rendre compte, vous êtes entouré de personnes extraordinaires qui peuvent vous permettre de réaliser vos rêves ou vous aider à surmonter les petites difficultés du quotidien.

À l'inverse, vous vous apercevrez aussi que certaines personnes ont des influences négatives sur vous ou vous drainent beaucoup d'énergie. Autant il est avantageux de miser sur vos alliés en leur accordant du temps, en prenant des nouvelles d'un ami que vous avez perdu de vue depuis longtemps ou en prenant du temps pour vous adonner à une activité avec un parent, votre conjoint, vos enfants, autant il est souhaitable de faire du ménage dans votre entourage en vous demandant si vous n'avez pas intérêt à vous éloigner de certaines personnes.

Exercice du jour 16

Identifiez qui sont vos alliés et ceux de qui vous auriez intérêt à vous éloigner. Notez dès maintenant le nom des personnes qui sont vos alliées et avec qui vous auriez intérêt à passer plus de temps de qualité. Mais identifiez également quelles sont les personnes que vous ne devriez plus fréquenter parce qu'elles détruisent vos rêves ou drainent votre énergie. L'idée n'est pas de ne plus les voir, mais de vous recentrer sur les personnes qui apportent du positif dans votre vie et qui vous aident à réaliser vos rêves, qui vous donnent leur soutien, qui voient la vie du même œil que vous...

Jour 17 : Arrêtez de vous prendre au sérieux

Trop souvent, l'être humain se prend beaucoup trop au sérieux. Dans ce cas, son corps est si contracté qu'un rien le dérange. Ces personnes ont une apparence très crispée !

Un retard de cinq minutes, nous sommes coincés dans un bouchon et cela nous contrarie. Sans parler des factures qui arrivent par la poste, de la file interminable à la caisse du supermarché, qui nous rendent impatients et irritables.

Récemment, alors que j'étais au restaurant, ma voisine de table a reçu du bacon avec ses œufs, au lieu du jambon qu'elle avait commandé. Elle s'est mise à insulter la serveuse en disant que c'était impossible d'avoir un service adéquat, que la serveuse était incompétente, que c'était inacceptable... Imaginez comment cette dame se prenait au sérieux, alors qu'elle aurait pu prendre la situation avec un brin d'humour et dire simplement: « Oh! une petite erreur d'attention, vous m'avez donné du bacon au lieu du jambon. »

Arrêtons de dramatiser des situations, arrêtons de donner de l'importance à des futilités. Il y a assez de choses dans le monde qui doivent être prises au sérieux... Pourquoi se stresser avec des choses qui n'en valent pas la peine? Il vient un moment où il faut se rendre compte qu'à force de tout prendre au sérieux, nous passons à côté des choses importantes de la vie. Le problème est que nous avons beaucoup d'attentes. Or plus nous avons d'attentes, plus nous risquons d'être déçus.

Exercice du jour 17

Commencez la journée en vous disant que vous n'avez pas d'attentes... Essayez de ne rien espérer, de ne rien croire en particulier.

Moins nous avons d'attentes face aux banalités de la vie, plus nous avons la chance d'être surpris, satisfaits. C'est ce qu'on appelle le lâcher prise, ce qui signifie arrêter d'être constamment irrité, dérangé par les petites choses du quotidien. Cela nous ramène donc à les dédramatiser.

Il se peut que certaines attentes soient moins faciles à éliminer, puisqu'elles semblent très importantes à vos yeux. Vous pouvez donc vous aider en les remplaçant, bien qu'elles soient souvent formulées comme des exigences, par des préférences.

Par exemple, au lieu de vous dire: « Je m'attends absolument à ce que la caissière au supermarché soit souriante et polie », vous auriez intérêt à vous dire: « Je préfère que la caissière soit souriante, mais si ce n'est pas le cas, ce n'est pas si grave que cela. » Parler de préférences plutôt que d'exigences fera toute la différence!

Essayez de voir chaque situation avec amusement... et notez-les dans votre carnet.

Jour 18: Prenez conscience du pouvoir des mots

Il y a quelques années, à la fin de mes journées, j'avais pris l'habitude de dire: « Ah! comme je suis fatiguée! » Et comme notre subconscient enregistre à la lettre et avec fidélité ce que nous lui disons, plus je me disais « Je suis fatiguée », plus je me sentais fatiguée!

C'est à la suite d'une lecture sur le sujet que j'ai décidé de changer les termes que j'utilisais et de dire plutôt : « Oh ! quelle bonne journée, maintenant, je me sens détendue ! » J'avais désormais envie de me détendre après une bonne journée de travail, de ne pas trop parler, d'être sur mon divan, de regarder la télé sans avoir à me casser la tête. Je me suis rendu compte qu'utiliser le mot *détente* au lieu du mot *fatigue* avait des répercussions positives sur mon esprit et mon organisme. Il est aussi possible de se dire : « Je me sens moins énergique aujourd'hui. » Dans ce cas, quel est le mot que votre subconscient a retenu ? *Énergique*... C'est cela qu'il retient, et déjà vous commencez à avoir plus d'énergie !

J'avais également pris l'habitude d'utiliser l'expression : « Ça me met assez en maudit ! » Évidemment, plus je l'employais, plus ma colère augmentait. J'ai donc décidé de la remplacer par : « Cette situation m'irrite un peu ! » Tout est une question d'intensité émotionnelle... Plus nous utilisons des mots à charge émotive forte, plus ces mots ont une incidence sur la façon dont nous nous sentons et sur nos comportements.

Cessez d'utiliser des phrases telles que « Je suis épuisé », « Je suis furieux », « J'en ai ras-le-bol » ou « Je suis stressé » et tournez-vous vers des locutions telles que « J'ai besoin de refaire le plein » ou « J'ai besoin d'un peu de repos ».

EXERCICE DU JOUR 18

Analysez les mots que vous employez sur une base quotidienne et qui vous font vous sentir moins bien. Votre discours est-il le reflet de ce que vous souhaitez ?

Répertoriez les mots ou les expressions que vous utilisez souvent et que vous auriez intérêt à remplacer. Et trouvez de nouveaux termes plus dynamisants qui vous donneront un état d'âme plus positif. Notez ces mots dans votre carnet.

Jour 19 : Faites plaisir à quelqu'un

Un des plus grands plaisirs de la vie est de rendre notre entourage heureux. Faire plaisir à quelqu'un n'exige pas des efforts énormes. Il peut suffire d'un tout petit geste qui fera plaisir à l'autre : un coup de fil, un petit mot, un petit cadeau, une fleur... un petit rien qui fait plaisir. Cela nous comble, lorsque nous savons que nous avons fait plaisir à quelqu'un. Faire du bien autour de soi revient à se faire du bien à soi-même. C'est contagieux !

Exercice du jour 19

Prenez quelques minutes de votre temps pour penser à une personne à qui vous voulez faire plaisir et à ce que vous ferez pour y parvenir. Puis passez à l'action.

Jour 20 : Révisez votre plan d'action pour atteindre votre rêve

Rappelez-vous qu'au jour 8 je vous ai demandé de rêver un peu... et de vous diriger vers la concrétisation de votre rêve en mettant au point un plan d'action que vous avez réalisé au jour 11. Aujourd'hui, neuf jours plus tard, êtes-vous passé à l'action ? Êtes-vous en train de franchir les étapes qui vous rapprochent de votre rêve ? Où en êtes-vous, exactement ?

Exercice du jour 20

Voici le moment de revoir votre plan d'action et de déterminer l'étape que vous pouvez franchir aujourd'hui. Quelle action, si petite soit-elle, pouvez-vous faire pour vous rapprocher de votre rêve ?

En ce jour 20, il est possible que vous vous rendiez compte que vous devez changer certaines parties de votre plan d'action. En cours de route, il est important de faire le point pour voir si vous avez intérêt à procéder autrement, pour vérifier si vos actes jusqu'à maintenant sont bien toujours les meilleurs pour atteindre votre objectif.

Lorsque nous établissons un plan d'action, il est important de nous en tenir à lui, mais il est tout aussi important de savoir le modifier si nous nous rendons compte que nous ne progressons pas vers notre objectif. Il est parfois utile de se réajuster.

Jour 21 : Faites le bilan de vos 21 jours

Jour 1	
Jour 2	
Jour 3	
Jour 4	
Jour 5	
Jour 6	
Jour 7	

Jour 8	
Jour 9	
Jour 10	
Jour 11	
Jour 12	
Jour 13	
Jour 14	

Jour 15	
Jour 16	
Jour 17	
Jour 18	
Jour 19	
Jour 20	
Jour 21	

Conclusion

Si j'ai écrit ce livre, c'est parce que je vois quotidiennement de nombreuses personnes aux prises avec des problèmes liés au stress. Au fil des conférences et des consultations privées que je donne, je rencontre chaque année des milliers de personnes qui veulent améliorer la qualité de leur vie, mais qui ont parfois du mal à trouver les moyens de le faire. Je m'évertue à leur dire qu'il n'y a pas de recette miracle pour être heureux et vivre moins stressé... C'est un travail quotidien. Ce qui fait toute la différence, c'est l'ensemble de toutes les petites actions que nous faisons au jour le jour.

Les méthodes décrites dans cet ouvrage fonctionnent. Je le sais parce que j'y recours tous les jours, pour mes clients, mais aussi pour moi-même. Pendant mes études en psychologie, je me disais que je ne pourrais être cohérente, à titre de thérapeute, si je n'appliquais pas moi-même les concepts que j'enseignais aux autres. Et je me suis rendu compte qu'en les appliquant tous les jours de ma vie, j'arrivais à être non seulement moins stressée, mais aussi plus heureuse. Les gens qui me connaissent personnellement pourront vous confirmer que j'applique vraiment chaque jour les principes que j'ai partagés avec vous. Et vous pouvez en faire autant, je vous l'assure. Il suffit de les mettre en pratique chaque jour.

Au terme de cette aventure, je tiens à vous souhaiter une bonne route vers le mieux-être. J'espère que ce guide vous aidera tout au long de votre vie à mieux vivre et à être plus heureux. Je crois sincèrement que nous pouvons tous y arriver.

Il suffit de s'en donner les moyens et de faire les efforts nécessaires.

Bonne route vers le mieux-être !

Annexe

QUESTIONS ET RÉPONSES SUR LE *BURN-OUT*

Question : Le* burn-out*, un sujet tabou ?
Réponse : Selon Claudine Ducharme, qui supervise chaque année l'enquête « Au travail ! » de la firme Watson Wyatt, en 2005, on a demandé à 94 entreprises canadiennes, qui emploient un total de 300 000 personnes, de lutter contre les préjugés qui touchent à la santé mentale. Seulement 5 % ont affirmé qu'elles allaient tenter de contrer ce genre de préjugés. Il y a de quoi s'inquiéter quand on pense que – selon l'Organisation mondiale de la santé – la dépression sera la première cause d'invalidité dans le monde d'ici 2020[15].

Question : Qu'est-ce que le* burn-out *?
Réponse : Le *burn-out* est un syndrome de détresse psychologique intense lié au travail, à un investissement professionnel excessif et caractérisé par trois manifestations :

- une grande fatigue émotionnelle ;
- une attitude cynique et détachée à l'égard de son travail ;
- une baisse importante du sentiment d'accomplissement dans le travail.

---

15. Source : Marie-Hélène Proulx, « Brûlés », *Jobboom magazine,* 15 août-15 septembre 2006.

Question : Le* burn-out *est-il une maladie officiellement reconnue ?
Réponse : Les expressions « *burn-out* » et « épuisement professionnel » sont populaires et de plus en plus utilisées. Toutefois, elles ne figurent pas dans le DSM (*Diagnostic and Statistical Manual of Mental Disorders*) de l'American Psychiatric Association, le livre de référence sur les maladies mentales. Ce ne sont donc pas des maladies officiellement reconnues. Dans les formulaires médicaux, il est davantage question de troubles d'adaptation avec humeur anxieuse ou dépressive[16].

Question : Le* burn-out *et la dépression, quelle est la distinction ?
Réponse : La grande distinction est que le *burn-out* est un épuisement lié exclusivement au travail. Les victimes de *burn-out* manifestent de la colère, des fluctuations de poids négligeables, aucune idée suicidaire, peu d'apathie, des cognitions (des pensées) irrationnelles orientées vers le travail, et elles attribuent directement la cause de leur état à ce dernier. Il est possible de récupérer en se retirant du milieu de travail et en modifiant les attitudes et les habitudes qui ont mené à l'épuisement[17].

Question : Le* burn-out*, causes individuelles ou organisationnelles ?
Réponse : En 1996, une méta-analyse portant sur la question des antécédents individuels du *burn-out* indiquait que 40 % des causes du développement de ce syndrome s'expliquent par des facteurs individuels, et 60 % par des facteurs organisationnels (transformation des tâches : intensifiées et complexifiées, maîtrise rapide de plusieurs technologies).

---

16. Source : R.T. Lee et B.E. Ashforth, « A meta-analytic examination of the correlates of the three dimensions of burn-out », *Journal of Applied Psychology,* vol. 8, nº 2, 1996.
17. Source : Nicolas Chevrier et Sonia Renon-Chevrier, « L'épuisement professionnel : vers des interventions organisationnelles », *Psychologie Québec,* novembre 2004.

***Question: Quels sont les facteurs individuels qui expliquent le* burn-out?**

Réponse: Parmi les facteurs individuels, on retrouve le perfectionnisme dysfonctionnel, l'introversion, la faible estime de soi, la rigidité cognitive (difficulté à modifier et à changer certaines pensées et croyances), les dispositions attributionnelles avec des lieux de contrôle externes (c'est-à-dire donner des explications extérieures à ce qui nous arrive, par exemple: la situation est causée par l'emploi, l'employeur, le milieu et les conditions de travail, plutôt que par des facteurs internes, soit la personnalité, les traits de caractère, la perception)[18].

18. *Ibid.*

Remerciements

Tout d'abord, je tiens à remercier Isabelle Fournier, sans qui ce livre n'aurait pas été aussi complet, bien structuré et rempli de bonnes idées. Isabelle, tu es une fille formidable qui possède un talent incommensurable. Je suis très fière de te compter dans mon équipe, mais surtout au nombre de mes amies. Continue à te faire confiance, c'est la clé de ton succès actuel et futur.

Évidemment, je m'en voudrais d'oublier Corinne De Vailly. C'est le deuxième livre sur lequel nous travaillons ensemble et ce fut chaque fois extraordinaire. Merci pour ton travail considérable.

Un merci tout particulier à l'équipe de SCSM, Christelle, Célina, Sophie, Isabelle, Ghyslain, Mélanie, Jessica et évidemment Louis-Jean. Sans vous, je n'aurais pu me consacrer à l'écriture avec autant d'intensité. Merci de promouvoir nos services afin de contribuer à améliorer la vie de nombreuses personnes par l'intermédiaire des entreprises.

Louis-Jean, tu es non seulement mon partenaire dans la vie, mais aussi mon partenaire en affaires, ce qui démontre que nous sommes un couple fort, car faire équipe dans la vie personnelle et professionnelle constitue souvent un défi pour la majorité des couples. Merci d'être le pilier de notre entreprise, car c'est assurément comme cela que je te vois. Tu es comme un phare, tu nous éclaires tous et chacun, nous montre la direction vers laquelle nous devons aller, et ce, contre vents et marées. Merci de ton éternel optimisme. C'est exactement ce dont j'ai besoin. Merci aussi pour l'amour, la compréhension et la générosité dont tu fais toujours preuve à mon égard. Je t'aime.

Évidemment, merci à Lucie et Marcel. Vous avez été plus que des parents pour moi. Vous êtes aussi des confidents, des amis, des complices et des supporters. Merci de m'avoir transmis l'art de la confiance en soi et de m'avoir toujours fait sentir comme étant la personne la plus extraordinaire du monde. Ce sentiment m'a nourrie, me suivra toute ma vie, me permet de réaliser mes rêves et de croire qu'il est possible de faire tout ce que l'on veut. Je vous aime beaucoup.

À ma belle-famille, Henriette, Paul, Marie, Claude et la belle Ève. Merci d'être toujours là pour nous. Vous êtes des personnes extraordinaires et des gens de cœur.

À ma copine Sonia – tes soupers hebdomadaires rendent ma vie plus agréable et me permettent de me relaxer en bonne compagnie –, mais aussi à Robert et à Kayla. Vous êtes des amis précieux.

À Nathalie. Lorsque je t'ai rencontrée au Club des Investisseurs immobiliers, j'ai tout de suite su que nous allions nous entendre à merveille. Je ne savais pourtant pas que nos *chums* allaient aussi avoir tant d'affinités. Vous êtes un couple modèle et des amis très inspirants avec qui on a toujours envie de refaire le monde.

Note

Plusieurs concepts présentés dans ce livre peuvent être approfondis en lisant *Émotion, quand tu nous tiens !*, publié aux Éditions de l'Homme en 2009. En voici quelques-uns que vous y retrouverez :

- les idées à la base du stress ;
- la façon de modifier vos idées irréalistes et, par le fait même, vos perceptions pour vous sentir mieux et vivre moins d'émotions désagréables ;
- l'intensité du stress et comment la diminuer.

Bibliographie

ANGEL, Sylvie. *Mieux vivre, mode d'emploi,* Paris, Éditions Larousse, 2002.

AUGER, Lucien. *21 jours pour apprendre à apaiser votre anxiété,* Laval, CFPPERQ, coll. « Microthérapie », 1994.

______. *S'aider soi-même: une psychothérapie par la raison,* Montréal, Éditions de l'Homme, 1974.

CUNGI, Charly. *Savoir gérer son stress,* Paris, Retz, 1998.

ELLIS, Albert. *Dominez votre anxiété avant qu'elle ne vous domine,* Montréal, Éditions du club Québec Loisirs, avec l'autorisation des Éditions de l'Homme, 1999.

ERIKSON, Erik H. *Adolescence et crise,* Paris, Éditions Flammarion, 1988.

FREUDENBERGER, J. Herbert. *L'épuisement professionnel: la brûlure interne,* Chicoutimi, Gaëtan Morin éditeur, 1987.

FRIEL, John C. et Linda FRIEL. *Les sept comportements gagnants des couples heureux,* Montréal, Édition du club Québec Loisirs, avec l'autorisation des Éditions du Trécarré, 2002.

GAREAU, André. *Les gens épanouis... réussissent mieux,* Outremont, Éditions Quebecor, 2003.

HARGREAVES, Gérard. *Réduisez votre stress, une approche intelligente et efficace pour travailler mieux, pas forcément plus,* Paris, Éditions Générales First, 1998.

LACOURSE, Louise. *On se calme, l'art de désamorcer le stress et l'anxiété,* Saint-Hubert, Éditions Un monde différent, 2005.

LAFLEUR, Jacques. *Le stress, la police et le Bon Dieu,* Outremont, Éditions Logiques, 2001.

La Roche, Loretta. *Relax ! Le pouvoir de l'humour pour vaincre le stress,* Paris, Éditions Dervy, 2002.

Lemieux, Michèle. *Mieux gérer son stress,* Outremont, Éditions Quebecor, 1997.

Leroux, Patrick. *Secrets de gens actifs, efficaces et équilibrés,* Île-des-Sœurs, Éditions Impact Formation, 1999.

Miller, Saul. *Exceller sous pression, comment maximiser sa performance,* Montréal, Éditions de l'Homme, 1993.

Milot, Stéphanie, *Émotion, quand tu nous tiens !,* Outremont, Éditions de l'Homme, 2009.

Pelland, Solange. *Le stress des champions,* La Petite Université Éditions, 2002.

Powell, Ken. *Le stress dans votre vie,* Saint-Hubert, Éditions Un monde différent, 1989.

Powell, Trevor. *Libérez-vous du stress,* Montréal, Sélection du Reader's Digest, 1997.

Rathus, Spencer A. *Psychologie générale,* Laval, Éditions Études vivantes, 1995.

Robinson, Bryan. *Les gens qui en font trop au bureau,* Montréal, Éditions Logiques, 1995.

Rollot, Florence. *Le grand méchant stress, quelle vie voulez-vous vivre ?* Montréal, Éditions de l'Homme, 2003.

Schermerhorn, J.-R. *et al. Comportement humain et organisation,* 3e éd., Saint-Laurent, Éditions du Renouveau pédagogique, 2006.

Servan-Schreiber, David. *Guérir le stress, l'anxiété et la dépression sans médicaments ni psychanalyse,* Paris, Éditions France Loisirs, avec l'autorisation des Éditions Robert Laffont, 2003.

Stern, Ellen Sue, *La femme indispensable,* Montréal, Éditions de l'Homme, 1989.

Wilson, Paul. *Le grand livre du calme au travail,* Paris, Presses du Châtelet, 2001.

Lectures et documents audio suggérés

Auger, Lucien. *105 jours pour apprendre à prendre soin de soi,* Laval, CFPPERQ, coll. « Microthérapie », 1992.

______. *21 jours pour apprendre à apaiser votre anxiété,* Laval, CFPPERQ, coll. « Microthérapie », 1994.

______. *S'aider soi-même: une psychothérapie par la raison,* Montréal, Éditions de l'Homme, 1974.

BORGIA, Diane. *Amour toxique,* www.cfpperq.com.

GOLEMAN, Daniel. *L'intelligence émotionnelle: comment transformer ses émotions en intelligence,* Paris, Robert Laffont, 1997.

JETTÉ, Andrée. *Gestion du stress par l'humour* (vidéocassette), 1997, www.andreejette.com.

LEROUX, Patrick. *Secrets de gens actifs, efficaces et équilibrés,* Île-des-Sœurs, Éditions Impact Formation, 1999.

LÉVESQUE, Ghyslain. *Choisir de réussir,* Montréal, Éditions Mots en toile, 2005.

MORGAN, Michèle. *Pourquoi pas le bonheur ?,* Montréal, Éditions Libre Expression, 1979.

Cassettes de relaxation

LACOURSE, Louise. *D'eau de sable,* cassette et CD, 2003.

SABOURIN, Michel. *Techniques de relaxation,* BMG Musique-Québec.

Références de la section « Questions et réponses »

CHEVRIER, Nicolas et Sonia RENON-CHEVRIER. « L'épuisement professionnel: vers des interventions organisationnelles », *Psychologie Québec,* novembre 2004.

LEE, R. T. et B. E. ASHFORTH. « A meta-analytic examination of the correlates of the three dimensions of burn-out », *Journal of Applied Psychology,* vol. 81, nº 2, 1996.

PROULX, Marie-Hélène. « Brûlés », *Jobboom magazine,* 15 août-15 septembre 2006.

Un dernier mot

Je m'en voudrais de terminer ce livre sans vous parler d'un programme que nous avons mis sur pied, mon partenaire et moi, dans le cadre de notre entreprise. Ce programme s'appelle ICEBERG. Il est offert en entreprise et au grand public et vise à améliorer cinq axes qui sont primordiaux, à notre avis, pour atteindre un certain équilibre au sein d'une entreprise, dans votre vie personnelle et professionnelle : la reconnaissance, l'attitude, le plaisir, la motivation et l'intelligence émotionnelle.

Pourquoi avoir appelé ce programme ICEBERG ? Parce que nous croyons que chacun a un potentiel qui ne demande qu'à émerger. C'est la partie cachée de chacun d'entre nous. Dans la même veine que mon livre, ce programme vise à révéler les ressources qui sommeillent en chacun.

Pour plus d'information sur ce programme
ou sur mes conférences, vous pouvez m'appeler
au (514) 730-8318 ou au (450) 978-2725,
ou consulter mon site Web :
www.stephaniemilot.com

Table des matières

Introduction 7

CHAPITRE 1 : Le stress : mythes, définition et conséquences 13
Le saviez-vous ? 13
Quelques mythes fort répandus 14
Le stress est le même pour tous 14
Le stress est toujours mauvais 14
Le stress est partout, donc je n'y peux rien 15
Pas de symptômes, pas de stress 15
Seuls les symptômes importants du stress méritent notre attention 16
Qu'est-ce que le stress ? 16
La distinction entre le stress, l'anxiété et les problèmes d'anxiété généralisés 18
Les conséquences du stress 20
Les conséquences du stress sur la vie personnelle 21
Les conséquences du stress au travail 22

CHAPITRE 2 : L'origine du stress 25
Des exemples d'agents stressants 25
La frustration 26
Le conflit 26
Les croyances irrationnelles 28
Les changements de vie 28
La douleur 29
Les tracas de la vie 29

Les traits de caractère 29
L'importance de la perception 31
Quelle est la réaction de l'organisme aux agents stressants ? 34
Phase 1 : L'alerte 35
Phase 2 : La résistance 36
Phase 3 : L'épuisement 36
Les signes avant-coureurs du stress 38

CHAPITRE 3 : Chacun interprète le stress à sa façon 45
Tout est une question de perception 46
Les questions qui demandent des réponses 50

CHAPITRE 4 : Chacun réagit différemment au stress 53
Deux éléments importants à identifier 56
Pourquoi faut-il absolument que... ? 58
Le verre toujours à moitié vide 64

CHAPITRE 5 : Rationaliser le stress : les dix excuses les plus courantes 73
Stressé de nature 73
Le stress est bon 74
Les résultats ne viennent pas sans efforts intenses 76
Le stress est nécessaire 77
Pas le temps de changer 77
C'est la faute des autres, du système 78
Sans stress, impossible de travailler efficacement 78
Pas de stress en vacances 78
Sans stress, quel ennui ! 78
Le stress, un phénomène de société 79

CHAPITRE 6 : Qui est exposé au risque de stress extrême ? 81
La personne incapable de dire non 82
La difficulté à dire non 84
Six conseils pour dire non 85
La méthode du compromis 86
La méthode de la persistance 86
La personne surchargée 87
Le perfectionniste 88

La personne qui ne reconnaît pas ses limites 93
Les personnalités de type A et de type B..................... 94
La personnalité de type A................................ 95
La personnalité de type B................................ 95
Êtes-vous une personnalité de type A ou B ?............... 96
Améliorez votre vie selon votre type de personnalité 98
Conseils pour les personnalités de type A................. 98
Conseils pour les personnalités de type B 100

CHAPITRE 7 : Les idées irréalistes qui nourrissent le stress 103
Croyances, impératifs et convictions 103
Quelques idées irréalistes qui nourrissent le stress 106
Tout le monde doit avoir une bonne opinion de moi 106
Mes désirs sont des ordres 107
Les autres doivent être justes.......................... 107
Je dois être compétent et réussir 108
Je ne peux pas y arriver seul 109
C'est la faute du passé.................................. 110
C'est la faute des événements 110
Je suis responsable des autres.......................... 111

CHAPITRE 8 : Comment réduire votre stress 113
Prenez soin de votre santé 113
Augmentez votre efficacité 114
Cultivez votre force psychologique.......................... 114
Ayez le sens de l'humour.................................. 115
Cultivez la prévisibilité.................................... 117
Demandez du soutien 117

CHAPITRE 9 : Gérer votre stress : un plan d'action 119
Étape 1 : Allez au-devant du stress 120
Étape 2 : Prémunissez-vous contre le stress 121
Étape 3 : Faites le ménage en vous-même 122
Étape 4 : Vivez pleinement 124

CHAPITRE 10 : Votre mission personnelle 127
Quelle est votre mission personnelle ?....................... 127
Pourquoi est-il si important de déterminer vos priorités ?.... 129
Êtes-vous au bout du rouleau ?............................. 133

Quels sont vos vrais désirs sur le plan familial ? 135
Quels sont vos vrais désirs sur le plan professionnel ? 135
Quels sont vos vrais désirs sur le plan social ? 136
Quels sont vos vrais désirs sur le plan physique ? 137

CHAPITRE 11 : Définissez vos priorités, établissez vos objectifs et tenez-vous-en à eux ! 141
Fixez-vous des objectifs pour revoir vos priorités. 143
Déterminez vos objectifs à l'aide de la méthode SMART : Quel but voulez-vous atteindre, dans la vie ? 146
La méthode SMART 146

CHAPITRE 12 : En route vers le changement 149
Test : Comment percevez-vous le changement ? 151
Deux éléments déterminants en matière de changement . . . 155
Le contexte. 155
Les facteurs intérieurs 155
Qu'est-ce que le changement ? 155
Les trois raisons principales pour amorcer un changement . . 157
L'insatisfaction 157
La nécessité 157
La contrainte 157
Les six phases du processus de changement 158
Phase 1 : Faites le point sur votre situation actuelle 159
Phase 2 : Précisez le changement que vous envisagez de faire 159
Phase 3 : Définissez la solution optimale 159
Phase 4 : Élaborez un plan d'action. 160
Phase 5 : Faites le suivi de votre plan d'action. 162
Phase 6 : Ajustez votre plan d'action 163
La pyramide du changement. 163

Programme de remise en forme psychologique en 21 jours . . 165
Conclusion 187
Annexe : Questions et réponses sur le *burn-out*. 189
Remerciements. 193
Note. 195
Bibliographie 197
Un dernier mot 201

Suivez les Éditions de l'Homme sur le Web

Consultez notre site Internet et inscrivez-vous à l'infolettre pour rester informé en tout temps de nos publications et de nos concours en ligne. Et croisez aussi vos auteurs préférés et l'équipe des Éditions de l'Homme sur nos blogues !

www.editions-homme.com

Marquis imprimeur inc.

Québec, Canada
2011

Achevé d'imprimer au Canada
sur papier Enviro 100 % recyclé